Издательская группа АСТ

представляет книги

Кати Рубиной

Все—все—все и Мураками

Меркурий
до востребования

КАТЯ РУБИНА

МЕРКУРИЙ

ДО ВОСТРЕБОВАНИЯ

ас**т**

Астрель
Москва

УДК 821.161.1-31
ББК 84(2Рос=Рус)6-44
Р82

Оформление обложки дизайн-студии «Графит»

Рисунки автора

Подписано в печать 20.10.2008. Формат 84×108 1/32.
Гарнитура «Ньютон». Усл. печ. л. 16,80.
(ПС) Тираж 2000 экз. Заказ 3357.
(Любовь@.ru) Тираж 2000 экз. Заказ 3358.

Общероссийский классификатор продукции
ОК-005-93, том 2; 953000 — книги, брошюры.

Санитарно-эпидемиологическое заключение
№ 77.99.60.953.Д.009937.09.08 от 15.09.2008.

ООО «Издательство Астрель».
129085, г. Москва, пр-д Ольминского, д. 3а.

ООО «Издательство АСТ».
141100, РФ, Московская обл., г. Щелково, ул. Заречная, д. 96.

Наши электронные адреса: www.ast.ru
E-mail: astpub@aha.ru

Рубина, К.

Р82   Меркурий — до востребования / Катя Рубина. — М.:
Астрель: АСТ, 2009. — 320, [0] с.

ISBN 978-5-17-055621-2 (ООО «Изд-во АСТ») (ПС)
ISBN 978-5-271-22160-6 (ООО «Изд-во Астрель») (ПС)

ISBN 978-5-17-055622-9 (ООО «Изд-во АСТ») (Любовь@.ru)
ISBN 978-5-271-22161-3 (ООО «Изд-во Астрель») (Любовь@.ru)

Как понять, где твоя настоящая жизнь: в круговороте фальшивых
улыбок московской богемы, в ускользающем мире воспоминаний об
утраченном счастье или в недописанной книге? Кто же более реален —
говорящая черная дворняга или экзальтированная посетительница
Арт-Манежа?..

УДК 821.161.1-31
ББК 84(2Рос=Рус)-6-44

ISBN 978-985-16-6489-0
(ООО «Харвест») (ПС)
ISBN 978-985-16-6490-6
(ООО «Харвест») (Любовь@.ru)

Литературно-художественное издание

Катя Рубина

МЕРКУРИЙ — ДО ВОСТРЕБОВАНИЯ

Роман

Зав. редакцией *М. С. Сергеева*
Ответственный редактор *Т. Н. Захарова*
Технический редактор *Т. П. Тимошина*
Корректор *С. П. Ткаченко*
Компьютерная верстка *И. В. Михайловой*

Издано при участии ООО «Харвест». Лицензия № 02330/0150205 от 30.04.2004.
Республика Беларусь, 220013, Минск, ул. Кульман, д. 1, корп. 3, эт. 4, к. 42.
E-mail редакции: harvest@anitex.by

Республиканское унитарное предприятие
«Издательство «Белорусский Дом печати».
ЛП № 02330/0131528 от 30.04.2004.
Республика Беларусь, 220013, Минск, пр. Независимости, 79. Заказ 3498.

ОАО «Полиграфкомбинат имени Я. Коласа».
ЛП № 02330/0056617 от 27.03.2004.
Республика Беларусь, 220600, Минск, ул. Красная, 23.

Глава 1

Астрологически Меркурий
выражает готовность и стремление
к контактам и пониманию.

Пупель сидела на диване и грустила. Бывает такое — вроде и ничего, а грустно как-то. Иногда бывает. Вроде бы все в порядке, и можно сидеть и радоваться, или идти и радоваться, а не радуешься. Мысли были какие-то пространные, вроде «а неплохо было бы, — или, — а если бы?».

Но лень было эти мысли развивать и углублять, и скучно в общем как-то.

На диване ей сидеть было неудобно, и если посмотреть на нее, к примеру, из космоса, хотя из космоса, пожалуй, не увидишь, а с расстояния ну, скажем, пятидесяти сантиметров, то точно видно было бы, что сидеть неудобно. Диван слишком мягкий, продавливался под ее небольшой, но все-таки тяжестью, спина ее горбилась, шея уходила в плечи, коленки подтягивались к животу, поза напряженная. В напряженной позе думается хорошо, но ей не думалось.

Незаконченные эскизы валялись по всей комнате: там кусок стены с аркой, тут фрагмент барной стойки, уголок для отдыха с диваном и журнальным столиком.

Тысячи людей за счастье, может быть, посчитали бы получить работу дизайнера по интерьерам. Для многих это вообще, так сказать, предел мечтаний. Пупель свою работу не любила. Она была, мягко выражаясь, странной дамой с прихвостью и присвестью в голове. Пупель была из той породы людей, которые обитают в своем мире. Прокладывая сложные тропы, залезая на скалистые пики, падая в пропасти и из них выкарабкиваясь, они устремляются к чуть виднеющемуся брезжущему свету, находя в этих экзерсисах особую прелесть и даже считая их той самой настоящей жизнью. Как правило, в жизненной реалии такие люди витают в облаках, не вникая в детали. Их нисколько не волнует то, что обычно волнует простых смертных. Конечно, им требуется пища, крыша над головой, бытовые удобства, но это все — постольку-поскольку.

Внезапно в голову Пупель пришла свежая мысль:

— Чего сидеть, когда и полежать можно...

Пупель включила телевизор и, свернувшись калачиком, уставилась на экран.

— Контрасты бывают разные, — ровным, убаюкивающим голосом говорил дядечка в телевизоре, — и это как раз является одной из характерных особенностей Меркурия. Днем тепло, так примерно плюс триста шестьдесят четыре градуса по Цельсию, а ночью прохладно — около минус ста.

«И все равно люди живут, терпят. А у нас чуть похолодает, все дома сидят, нос на улицу не кажут», — думала Пупель.

Убаюкивающий дядечка начал объяснять что-то про ядро Меркурия, показывая схему в разрезе. Пупель закрыла глаза. Сначала просто стало никак и даже не темно, а так серенько и внутри что-то затюкало — пунс-трунс.

— Возникает вопрос, откуда берется лед? — доносился далекий голос из телевизора.

«Да, откуда лед?» — подумала Пупель уже во сне.

Много деревьев, освещенных вечерним солнцем, какая-то особенная перламутровость. Пупель шла по ковру, приговаривая:

— Я иду по ковру, ты идешь пока врешь, мы идем пока врем, они идут пока врут.

Сидя на террасе, за столом, покрытым синей клетчатой клеенкой, она ложечкой переложила варенье из хрустальной вазочки себе в розетку. «Как эта вазочка похожа на сосуд из Рублевской Троицы. Если бы не эти зазубринки — просто один в один.

Вообще-то на современном уровне нельзя воспринимать эту актуальность в виде непререкаемой банальной удовлетворительной тенденциозности».

— Мы не можем интегрировать мир парадоксальных иллюзий, — возразила Пупель невидимому оппоненту. И вспомнила фразу, которую она очень любила в детстве: «С точки зрения материальных тенденций это все амбивалентно».

Пупель бежала по коридору. Нет, не туда, не туда, Господи, боже, куда?

«Опять страшно, — подумала Пупель. — Ужас-то какой, куда спрятаться?» Она дернула первую, ближнюю к ней дверь. Дверь оказалась заперта. Пупель побежала дальше. Ноги ее утопали в мокрой бурой траве, с неба капал мелкий гадостный дождик. Она увидела вдалеке силуэт дерева с тонкими ветками и пустыми птичьими гнездами.

Поздняя осень, грачи улетели. Мир замерзает в холодной постели, тучи нависли над полем и садом, солнце куда-то ушло, между прочим.

Вот и полоска несжатая рядом. Пусто, тоскливо и труд не закончен. Где же крестьянин, неужто он умер? Надо набрать ему — выключен нумер. Он недоступен, включается зуммер. Слышится голос холодной машины, а вдалеке мерзкий крик петушиный:

— Ваш абонент тут не числится боле.

Тучи нависли над садом и полем.

— Господи, опять, за что мне это? — застонала Пупель.

«Да брось ты, глупости это все», — произнес невидимый собеседник.

— Вам, может, и глупости, а у меня это постоянно, — начала ныть Пупель.

«Расслабься и пройдет».

— Вам легко говорить, а я только закрою глаза — все по кругу, по кругу и нет выхода.

«Выход всегда есть».

— Я знаю, только трудно его найти, ищу который год, днем уже потихоньку, а во сне...

«Во сне тоже потихоньку, отойди и все».

— Не получается, я же не сама сюда прихожу, меня волочет что-то, а потом страх, и я уже себе не принадлежу.

«Ты сама себе хозяйка, сама все можешь».

— В этом-то вся беда. На самом деле я ничего не могу.

«На самом деле ничего этого нет, и ты просто спишь».

— Я умом понимаю, а на сердце тяжесть и страх и плакать хочется.

«Заплачь, может, легче будет».

— Не получается, что-то внутри держит и не дает слезам вылиться. Как вы думаете, что-то можно с этим сделать?

«Можно».

— ?

«Все вам, девушкам чувствительным, надо разжевать и в рот положить.

Настройся на хорошую волну, убери это дерево, полоску эту отшвырни, думай об этом, как о куске стихотворения, и все, не надо примерять на себя, ты же не сельский житель даже. Что ты прилепилась к этому крестьянину?»

— Сама не знаю, сама думаю, а вот прилепился и все, держит крепко.

«Когда он к тебе приходит?»

— Я... — замялась Пупель. — Одну минуточку, дайте подумать.

«Нет, говори сразу, не думая».

— Этот крестьянин всегда возникает, когда мне плохо, это началось еще тогда, давным-давно, той ужасной осенью. Скажите вот, гололед на Меркурии? Там ядро?

«Да подожди ты с гололедом, почему если Меркурий, то сразу гололед, ядро — что, других тем, что ли, нет, обязательно надо об этом, мы только о чувствах заговорили, а ты мне сразу —

лед, ядро, очень физиологично, даже не ожидал от тебя».

— Я вовсе не к тому, мне интересно, началось ведь все с ядра?

«Началось все со слова, а потом уже ядро, это каждый младенец знает».

— Слово — это хорошо, доброе слово и кошке приятно.

«Опять привязываешься к словам».

— Давайте о вас поговорим, — предложила Пупель, — а то, действительно, все обо мне да обо мне. — Она немного замялась, а потом произнесла очень заинтересованно: — Как вы себя чувствуете?

Ответа не последовало.

— Простите, пожалуйста, вы еще тут?

Тишина.

Пупель поняла, что собеседник пропал, ушел, так сказать, по-английски. Почему-то Пупель это очень обидело. Она огляделась вокруг. Никого.

Внезапно Пупель осветил яркий луч. Она почувствовала тепло на лице и зажмурилась. Открыв глаза, Пупель увидела свою комнату. Солнце покрыло «жаркой охрою ее постель и край стены», «книжная полка» была в тени.

«Однако, — подумала Пупель, — да-а-а-а, который же теперь может быть час, к примеру?» В телевизоре крутили рекламу шампуня. Пупель выключила телевизор и начала глазами искать будильник.

Он тикал где-то в районе буфета. Циферблата видно не было. Несчастный будильник был завален бумагами и журналами. «Тяжело, наверное, быть будильником в доме неряхи, — подумала Пупель. —

Жизнь ему кажется беспросветной, тикаешь, тикаешь, а толку чуть. Хотя это не только у будильников
бывает. Тикает, значит, время существует, просто
нет конкретики. А логика? Ну-ка, ну-ка».

Пупель очень любила рассуждать и все себе как
бы разжевывать.

— Солнце — значит не ночь, но и не утро, утром
оно на другой стороне, следовательно — вечер и не
поздний вечер, а такой тихий солнечный вечерок,
часиков пять- шесть, не больше восьми. Как я про-
валилась, надо же. Надо набрать Магде.

Магда была лучшей подругой, звонки ей и от нее
сложились в своеобразный ритуал. Раньше Магда работала, и звонить ей можно было только вечером. С
тех пор как Магда уволилась, звонить ей можно было
когда угодно, просто, когда вздумается.

Никто не брал трубку. В последний момент, когда Пупель уже собиралась нажать на кнопку отбоя,
Магда подошла.

— Алё, — прохрипела она.

— Ты что, спишь?

— Задремала что-то, — высвистнула Магда. — Ва-
лялась на диване, потом кувырк, кошмар какой-то.
Пока стояла, все тело ломило, ноги, руки отвалива-
лись, голова — чума какая-то, в горле что-то стре-
котало, вроде насморк начинался, столько планов
и все псу под хвост. Который сейчас час?

— Понятия не имею, сама только проснулась.

— Ты с ночи проснулась или как?

— Да нет, вроде не с ночи, вроде я сегодня уже
вставала и, кажется, кофе пила, — произнесла Пупель неуверенно.

— Погоди минуточку, морду сполосну, — голос
Магды был уже менее хриплый.

Пупель слышала, как на другом конце города Магда спустила воду в унитазе, потом включила кран в ванной, потом брякнула ложкой о кружку.

— Нуг, каг тыг? — закуривая сигарету, проурчала Магда.

— Куришь?

— Ага, закурила, ну дурдом.

— Подожди, я тоже.

Прижав трубку к плечу, Пупель начала поиски сигарет. Под кроватью — нет, на буфете — пустая пачка, в туалете — тоже пустая, вроде новая была, где же она?

«Где ты, Лека, увезли тебя далеко?»

— Что ты говоришь? — послышался голос Магды из трубки.

— Ничего, сейчас, сигареты ищу.

— В сортире посмотри.

— Там пустая.

— В сумке.

— Она в кармане плаща, вот сволочь, так, а зажигалка?

Проверка пошла по тем же адресам и явкам. Зажигалка предательски спряталась под чайным блюдечком на кухонном столе.

Пупель закурила.

— А сейчас как ты себя ощущаешь? — спросила она.

Магда тоже сделала затяжку.

— Пока не пойму, вроде тело не болит, в ухе что-то стрельнуло, у, блин, и под ребром колет. Как ты думаешь, это сердце или невралгия?

— Надо валидолом проверить.

— Сейчас будем проверять, только чайку хлебну, тьфу, холодный какой, аж зубы заломило, ну я тебе

скажу, этот новый, который Буккера не получил, это
что-то.

— Это ты о ком?

— Налим Сусбарсов.

— Ты и его купила?

— Вчера купила всех номинантов и получивших,
и тех, кто бы мог получить при стечении различных
обстоятельств, и тех, кто никогда не получит.

— Ну, ты даешь, сколько же ты купила?

— Килограмм двадцать, нет, двадцать я бы сама
дотащила до такси, а мне грузчик магазинный помогал, все в коробки напихали.

— Всю ночь читала?

— Надо держать ситуацию под контролем.

— И что Сусбарсов?

— Шестьсот восемьдесят страниц, на обложке
написано — настоящий интеллектуальный роман,
кабы не богатство и свобода русского языка.

— И как?

— Действительно так, вот богатство и свобода его
напрочь подвели. Если бы не они, тогда просто чудо
было бы. Там еще на обложке, ой я не могу, кабы не
четко выраженное стремление автора вырваться из
трех сосен.

— Вырвался?

— Я тебя умоляю, как же это можно узнать?

— Ты же всю ночь читала.

— «Всю ночь, — сказал Финдлей, — всю ночь».

— Ну и?

— Чувствую себя неважно, в плохой форме, прочту
страницы три-четыре, напрочь забываю, о чем речь
раньше шла. Я тебе точно говорю — кабы так прикольно было бы, три сосны, блин, и все, и если сюда
добавить вполне тогда ощутимые признаки гуманис-

тической традиции как таковой, то амбивалентность может расположиться в кофигуративной внешней тенденции.

— Богатство и свобода, говоришь. А как он выглядит?

— Понятия не имею, там нет его фото, но он точно нам не конкурент, это нечитабельно. А почему тебя интересует его внешность?

— Мне сон приснился.

— И ты молчишь? Надо было сразу все рассказать, опять начинается.

— Ну, что ты на меня рычишь, я как раз собиралась.

— Она как раз собиралась, я уже вся на нервах, а она только собиралась!

— Да ладно, погодь жужжать, я почему тебя про этого Сусбарсова спрашиваю? Началось-то все как раз с такого же бреда — амбивалентность с конгруэнтностью и все в этом роде, дальше опять кошмары, а потом...

— Это сейчас тебе приснилось? — настороженно спросила Магда.

— Ну, да, только вот.

— А как ты себя чувствуешь? Кошмары конкретные были?

— Вот в этом-то все и дело, — залепетала Пупель, — никакой конкретики, но самое интересное, он мне понравился, несмотря ни на что.

— Кто тебе понравился? — строго спросила Магда. В голосе ее появились настороженность и недовольство.

— Если бы я могла это четко сформулировать!

— А ты попробуй, может, я и пойму.

— Я совершенно не к тому, ты-то как раз все очень четко понимаешь, кто-кто, а ты...

Магда с удовольствием хмыкнула.

— Видишь ли, во сне я встретила очень интересн... — Пупель замялась. — Я бы это назвала сущность.

— Господи, боже мой, что же это такое, и теперь тебе кажется, что это Сусбарсов?

— Совсем мне не кажется, просто ты заговорила о нем, и возникли некоторые ассоциации. Понимаешь, он говорил, что надо к этому как к поэзии относиться, и все.

— Успокойся, это точно не он, у Сусбарсова в книге поэзия и не ночевала.

— Да я понимаю, тот вообще был, как бы это лучше сказать, не нашей цивилизации.

— Вот это уже интересная тема. Да, кстати, про вампиров уже не надо.

— Почему?

— Авгиев написал.

— Ты и Авгиева прочла?

— Его-то я прочитала вчера от корки до корки, тем более мы эту тему с тобой имели в виду, помнишь?

— Ну да, хотя, по правде говоря, меня она настораживала, совсем не хочется ворошить старое. Мне вообще это тяжело было бы.

— Эта тема теперь зарыта, Авгиев все из нее высосал.

— Вот ты сама просишь скорее про сон рассказать и все время сбиваешь меня, я сосредоточиться не могу, прыгаю, как блоха на болоте, — залепетала Пупель.

Магда хмыкнула.

— Ну, знаешь что, милочка! Не надо так, я же о тебе беспокоюсь, за наше общее дело болею, можно подумать, для себя стараюсь, читаю весь этот бред. Поверь мне, есть много более увлекательных дел, чем читать современную литературу, я, может, Бунина бы почитала с удовольствием или еще кого, да мало ли кого можно почитать. Да хоть Толстого, хоть Лермонтова без этих современных загибасов.

— Ладно, ладно, — заоправдывалась Пупель. — Я понимаю, я ничего, просто этот сон может тоже сыграть свою роль, ну ты понимаешь?

— Давай без всех этих, соберись. Ой, Господи, кто-то на мобилу звонит, подожди, перезвоню.

Магда отключилась.

Пупель осталась одна.

История Пупель

Когда Пупель была малепусенькой, только что родившейся девочкой, ее еще не звали Пупель. Папа и мама назвали ее как-то по-другому, она пробыла «как-то по-другому» примерно дня два после своего рождения, пока не пришел папин брат, дядя Боря, и не посмотрел на нее. «Вылитая Пупель, — сказал дядя Боря, — губки бантиком, глазки навыкате, волосики рыженькие, вся как фарфоровая». И вот, с дяди Бориной, так сказать, легкой руки или легкого языка все это и поехало, и полетело. Все стали ее называть только Пупель, и даже в школе, и даже в институте. Хотя Пупель сопротивлялась и говорила, что это чисто домашнее, что ее зовут как-то по-другому, и какая она, к шуту, Пупель, с таким носом и глазками и всем, но никто по-другому ее не называл. Вообще-то Пупель сама не помнила, как точно ее зовут, она только два дня была как-то по-другому — трудно настаивать, если четко не знаешь, на чем именно.

Мало-помалу Пупель смирилась, а что еще ей было делать? Разные бывают странности. Ко всяким странностям человек может привыкнуть. Привыкает, и ему уже кажется, что так должно быть. И если даже не должно, но существуют такие вещи, которые совершенно невозможно изменить никаким усилием человеческой воли, никакой работой, ничем, они существуют абсолютно независимо от человека и его сознания и подсознания. Даже в некотором смысле подсознание больше может влиять на них, хотя это очень сомнительно. Пупель это хорошо понимала. С возрастом, с тех пор как она выросла, окончила школу, институт, она больше стала понимать и мириться с тем, что она не понимает и никогда не поймет. Она практически примирилась с тем, что в мире нет логики. Раньше, когда Пупель была маленькая, она все время думала: ну как же так? А теперь она понимала, что это так и никаких «как же» не предусматривалось. В детстве Пупель произрастала в мягкой пушистой вате с блестками и мишурой. Всякие приятственные вещицы с самых малых лет окружали ее. Игрушки, сумочки, красивенькие перчаточки с бантиками, книжки, пряники, мармелад с шоколадом, бусики, пестренькие платьица, трусики с рюшечками, проигрыватель со сказками и всякими музыками, пирожки с капустой, солнечные зимние деньки с саночками на горке во дворе, теплые розовые вечера на даче с большими деревьями березами и елками, с большой — по пояс — травой с незабудками и ландышами, с фиолетовой сиренью у кухонного окна, с велосипедом «Дружок», с купаньями в маленьком прудике, с походами на земляничные поляны в ближайший лесочек, с доброй нянюшкой, готовившей вкуснющую кашу-размазню, с огромными бутербродами с докторской колбасой.

Однажды папа подарил Пупель картонную коробочку. В этой коробочке в маленьких баночках, которые открывались с очень большим трудом, лежали гуашевые краски. Раньше Пупель никогда не видела краски в баночках. У нее были цветные карандаши. Такая большая плоская коробка, а в ней они от белого до черного: были там и голубые и оранжевые и ярко-розовые и ярко-ярко-зеленые. Пупель рисовала ими. У карандашей был один недостаток. Они быстро ломались или затупливались. Точить их Пупель не умела. Поэтому в рабочем состоянии всегда были черный, коричневый и всякие неинтересные цвета, а хорошие вечно были сломаны. А тут коробочка и кисточка. Сколько потом у нее было этих гуашевых коробочек! Но эта, самая первая, запомнилась. Красок в ней было мало, но зато ощущение — передать трудно! Накрутишь на кисточку краску, плюхнешь ее на лист, и она еще мокрая блестит, маслянится и вся звенит. Когда краска высыхала, она уже не казалась такой заманчивой. Она как-то тускнела, светлела. Поэтому надо было рисовать очень ярко, чтобы при высыхании краски не умирали. Для Пупель рисование красками было счастьем и совершенно другим, особенным занятием. Так она провела много лет — прекрасных и безоблачных.

Внезапно прозвенел последний звонок в школе. Было утро с соловьями под хвостом памятника Юрию Долгорукому и...

— Для того чтобы поступить в художественный институт, необходим определенный набор знаний. Как ты будешь выглядеть перед приемной комиссией?

*Представляю себе, приходит девчонка с кипой чудо-
вищных по яркости, беспомощных рисунков, — так
говорил Пупель великий педагог-репетитор Платон
Платоныч Севашко. — И вообще, пора проститься с
детством, как тебя зовут по-настоящему?*

*— По-моему, честно говоря, я не помню, — отвеча-
ла Пупель неуверенно. — Меня никто никогда по-другому не называл, я точно сказать не могу, надо у ма-
мы спросить.*

*— Добре, — кивнул Севашко. — Пупель так Пу-
пель, это в принципе значения не играет. Рисовать
надо научиться, и научиться очень быстро. Иначе о
поступлении речи не может быть. Все это очень
мило и трогательно, все эти твои испанки на спи-
чечных ногах, эти лошадки или собачки, разобрать
трудно, — всю эту чушь поросячью дома положи,
наплюй и забудь. Будем рисовать мотоциклетный
мотор. Мотор от моего мотоцикла, трофейного,
из Потсдама привезенного, эх, чудесные были времена.*

*И понеслось, поехало. После мотоцикла пошли че-
репа, потом икорше Гудона, далее натурщицы и натурщики, сидящие, стоящие на двух ногах и с упором
на одну ногу, лежащие в ракурсах на матрасе. К Севашко Пупель ходила три раза в неделю. Мастерская
была большая, учеников еще больше. Народец разный-
преразный: девочки после школы, как сама Пупель,
мальчики после училища, мужики после училища по
прошествии двадцати лет, мужики, никогда не посе-
щавшие училище, но умеющие прекрасно рисовать,
дядьки, не умеющие рисовать, но уже занимающиеся
художественной деятельностью. Платон Платоныч
относился к своим ученикам одинаково, несмотря на
возраст.*

Он принципиально был со всеми на ты, весьма дружелюбен, но с некоторой определенной ехидцей и подколами. Были у него и любимчики, причем это не зависело от того, умеет ли человек рисовать или нет, он выделял некоторых своих учеников и общался с ними по-особому. Пупель нежданно-негаданно попала в число любимчиков.

— Ну что, Пупка, нарисовала подарок к двадцать пятому съезду большевиков? — спрашивал он, указывая на неудавшиеся куски рисунка. Или: — Пупа дала наш ответ Чемберлену, или: — Пупа, а пупка́ не видишь. Пупель никогда не обижалась на Платона. Обучение ей давалось с большим трудом. Рисунки получались замусоленные, черные, абсолютно неуклюжие, чувствовалось в них напряжение, неуверенность в себе.

— Ничего, Пупа, не бзди, — говорил Платон. — На утюги пойдешь, будешь дизайнером по утюгам, на утюги много народу берут, поступишь, ты — девка видная.

Пупель не хотела поступать на утюги. Она плохо себе представляла, как можно всю жизнь заниматься утюгами. Она и утюгов-то толком никогда не видала. Изредка в детстве наблюдала, как мама что-то гладит или нянюшка на даче. Сама в руки не брала и век бы этих утюгов не знала. Она старалась изо всех своих сил, корпела, пыхтела. Радости в этих занятиях было мало. Порой ее охватывало полное отчаяние и руки опускались, тогда Платон подходил к рисунку, садился на ее стул и говорил: «Смотри, мадемуазель Пупкина».

Как Платон умел показывать, как он божественно рисовал! Мутный, неказистый глаз на портрете сразу оживал, начинал смотреть, нога у фигуры, бессмысленно болтающаяся, упруго и плотно вставала, чуть не пальцы на ней начинали шевелиться. *Платон был хороший педагог. Он, как старый умудренный капитан, вел через рифы и штормы своих матросов к тихой гавани — поступлению в высшее художественное заведение. Он пресекал на корню всякие попытки учеников проявить самовольство и упрямство. Он был очень искусен и настойчив. Упрям, как старый баран, в хорошем смысле этого слова. После каждой постановки он развешивал работы своих учеников на стене в определенной последовательности — от самого лучшего до самого поганого, который, поганый, висел последним в последнем ряду. Платон всегда объяснял, почему он повесил тот или иной рисунок в тот или иной ряд. Это у него называлось методой. Как же все боялись этих развесок, прямо как маленькие, прямо как в детском саду. С особым трепетом входили ученики в мастерскую, делая вид, что не смотрят на стену, где висели работы, но каждый пялился украдкой, каждый трепетал. Самое позорное и страшное было оказаться в подвале, так называл Платон самый нижний ряд. Ряд неудачников — называла его Пупель.*

— *Только бы не в подвал, только бы не это,* — каждый раз как молитву твердила Пупель.

Путь Пупели из подвала наверх был тернист и долог.

— *Это тебе не поросят красками красить,* — обычно говорил Севашко. — *Это тебе не рожи испанок мазать кистью, это тебе не ослам хвосты крутить. Тут у меня метода. Тут у меня порядок, линейный и тональный академический рисунок.*

Рано или поздно все ученики великого Севашко начинали делать академический линейный и тональный ри-

сунок, как этого требовали жесткие академические правила. Никогда у Севашко не бывало промахов: он мог научить академическому линейному и тональному рисунку любого, зайца мог, медведя бы запросто, даже таракана мог бы, если бы родители этих тварей желали, чтобы их чада поступили в высшее художественное заведение. Он мог научить академическому рисунку слепого. Просто времени чуть больше бы ушло, а так запросто. Вот поэтому он был великий, самый известный и самый лучший. Он сам работал в этом высшем художественном заведении и даже заведовал кафедрой академического линейного и тонального рисунка. Но там, в этом заведении, люди не дремали. Эти люди, другие преподаватели линейного и тонального академического рисунка, черной-пречерной завистью завидовали Севашко, его умению обучать в огромных количествах огромные количества. Они — другие преподаватели линейного и тонального рисунка — просто пережить не могли успехи великого Севашко и всюду ему гадили, плевали в душу и даже письма куда-то писали, что он де немерено учеников держит и немерено гребет денег и что такой человек, как Севашко, не может достойно представлять кафедру известного и уважаемого высшего художественного заведения. После таких писем великий Севашко был вызван на ковровую дорожку в кабинет ректора высшего художественного заведения. И ректор художественного высшего заведения завел с великим Севашко такой неприятный-пренеприятный разговор. Он так сказал, во всяком случае, Платон это так рассказывал Пупели, он сказал: «Платон Платонович, совесть имей, что ты творишь, ты что, с дуба рухнул, столько учеников?»

На что ему Платон начал возражать, что, дескать, ну и что, дескать, я каждого научил и всякий у меня соответствует и всякий, хоть ночью разбуди, хоть с луны сорви и посади, нарисует линейный и тональный академический рисунок.

А ректор Платону как раз это в вину ставил и так ему возражал, что если всякого тот может научить, то пусть сам дипломы им и выдает, и нечего всякому поступать в высшее художественное заведение. И подвел вот к чему, очень так плотно подвел Севашко к вердикту, к тому, что Севашко виновен и очень сильно виновен. И что Севашко должен покаяться и отдаться во власть его, ректора, и тот уж сам продумает, как наказать и что с ним делать. И придумал, иезуит, все-таки он был тоже не промах, он был зубастый хищный крокодил, он был ректор, на минуточку, высшего художественного заведения. Он сделал великому Севашко предложение, от которого тот не мог отказаться. Там было два варианта, во всяком случае, Севашко так это рассказывал Пупели. Первый вариант — это если Севашко будет продолжать с таким количеством учеников, то он лишается завкафедрства и вообще может идти на все четыре стороны; а второй вариант другой. И Севашко вынужден был пойти на второй вариант. Потому что не бросать же дело своей жизни из-за какого-то зубастого хищного крокодила. Он решил, что учеников много и крокодилу тоже хватит. Он был старый, очень мудрый и хороший педагог и, кстати, крокодила тоже учил линейному и тональному академическому рисунку, когда тот еще был молоденьким крокодильчиком.

Так все и осталось по-старому. Севашко тренировал учеников. Больше к нему никто не приставал и писем проклятых не писал, не мешал проводить обучение линейному и тональному академическому рисунку.

Пупель тоже продвигалась по ступенькам наверх.

Сначала был второй ряд снизу.

Дальше — выше, выше, выше. И вот, наконец, дол-
гожданный первый ряд, партер, лучшие места — тре-
тье, второе и...

Часто так бывает в жизни. Пупель тогда об
этом еще ничего не знала.

Когда результат достигнут, но именно если он,
этот результат, достигнут путем неимоверных уси-
лий, перешагивания через свое я, если оно, конечно,
имеется, так вот, если приходишь к результату весь
изнеможденный и усталый, то, в результате этого
результата, наступает не радость, а безразличие,
апатия и опустошенность.

В один прекрасный день Пупель прибыла в мастер-
скую Севашко и увидела свой рисунок на первом мес-
те. Он гордо висел, всем своим видом демонстрируя
мастерство Пупель, ее прилежание в линейном и то-
нальном академическом рисунке.

Севашко сиял, как майский день.

Он объяснил всем, почему именно рисунок Пупели
находится на самом почетном месте.

— Пупа продемонстрировала нам, как надо в точ-
ности и методичности выполнить именно эту по-
становку.

Ученики смотрели, кивали. Пупель спокойно сто-
яла среди них и никакой радости не ощущала.

— Теперь, Пупка, можешь рассчитывать не
только на утюги, конечно, на академическую му-
нуминтальную бежево-гризальную живопись те-
бя не возьмут, но на все остальное можешь смело
рассчитывать, можешь спать поспокойнее, —
говорил Севашко умиротворенным, довольным го-
лосом.

На бежево-гризальную Пупель никогда и не рассчитывала, честно говоря, ей абсолютно не нравился этот факультет.

Но самое страшное было не в этом.

Самое страшное заключалось в том, что это ей, как это не было грустно, да, ей абсолютно перестал нравиться линейный и тональный академический рисунок. Вот в чем был кошмар и ужас. Она уважала Севашко. Она его, можно сказать, по-своему любила, она понимала, что метода Севашко всесильна, вечна, безупречна, дает результаты, о которых даже нельзя мечтать, применяя какую-нибудь другую методу. Но был в этой чудодейственной методе один недостаток, при всем ее совершенстве, недостаток был.

Мы все учились понемногу в тревогах шумной суеты. Нам дней минувших анекдоты живили юности мечты. Пылай камин, и дум былое вдруг в темноте воскреснет вновь. И это время золотое, и жизнь, где слезы и любовь.

Глава 2

Меркурий символически —
проводник через тьму к Свету.

Пупель сидела на диване. Солнце уже зашло, наступили плюшево-голубые сумерки. На небе были наклеены небрежно — оборванные фиолетовые облака. Во дворе лаяла собака, ее лай раздавался раскатистым рокотом. Было ощущение, что собака лает в рупор или в микрофон. Сам лай был довольно ритмичен. Пупель начала прислушиваться. Сначала ей показалось, что собака лает так:

— Кук кав-кезевр гавки-гавкаррр-авсокавщая-савсивня.

Прислушавшись, Пупель поняла, что собака лаяла совсем другое. Та вылаивала конкретную фразу:

— Куда лезешь, гадкий трактор, настоящая свинья!

Пупель с любопытством высунулась в окно и увидела огромный экскаватор, застрявший в воротах, и рядом черную дворнягу. Экскаваторщик и дворняга ругались на чем свет стоит. Экскаваторщик высунулся из кабины и орал на собаку:

— Ты что, мразь, сдохнуть захотела, щас колесом задавлю, идиотка, отвали, тут и так узко, уебывай отсюдова!

Собака вылаивала:

— Тупой урод, сдай назад, припадочный!

Экскаваторщик, видимо, прислушавшись к совету собаки, начал давать назад и благополучно вырулил.

Собака, выдохнув, протявкала:

— Слава богу, дошло до придурка, как такие за руль садятся, представления не имею!

После этой тирады она замолчала, улеглась у ворот, прибрав хвост. Экскаваторщик уехал, на прощание выкрикнув собаке:

— Когда-нибудь тебя переедут, мордожопа злющая!

Собака посмотрела на него с унынием и жалостью и ничего не сказала. Казалось, он ее больше не интересовал.

Пупель еще раз взглянула на всю эту картину, глотнула вонючего дыма, оставшегося от экскаватора, и отошла от окна в изумлении.

— Она пролаяла: «Слава богу, дошло до придурка», — вслух заговорила Пупель. — А кто мне говорил, что животные от людей отличаются тем, что не могут богу молиться?

«Так кто же тебе эту чушь говорил?» — раздался голос из ниоткуда.

Пупель замолчала и начала думать про себя. Думала она примерно так: «Вроде с утра все у меня было нормально, голова не болела, температуры не было, я ничего такого не ела и не пила...»

«А при чем тут еда и питье?» — опять раздался голос.

Теперь Пупель показалось, что кто-то находится сзади. Она резко обернулась.

Никого.

Пупель снова начала думать. Мысли ее проскальзывали отрывками: «Что это? Что это значит? Почему? Откуда? И мысли читает, ну надо же. С чего бы это могло?»

«Да ладно тебе себя мучить», — голос звучал явно.

— А как себя не мучить, если я не понимаю? Сейчас мне кажется, мы с вами уже разговаривали в моем сне, это так?

«Может быть», — ответил голос уклончиво.

— Вы тогда внезапно пропали, и мне стало обидно, все на полдороге оборвалось.

«Но страх прошел, не так ли?»

— Да, — неуверенно проговорила Пупель.

«Тогда почему ты так мнешься?»

— Теперь вместо крестьянина вы ко мне подключились?

«Типа того».

— Интересно! Вы можете когда угодно ко мне подключаться, без моего желания, это называется раздвоение личности или как?

«Этого еще не хватало. Я личность цельная».

— Это я уже начала понимать, но дело в том, что у меня возникают вопросы по поводу цельности моей личности.

«Об этом я ничего пока сказать не могу, мы слишком мало знакомы, чтобы делать такие скоропалительные выводы».

— В прошлую нашу беседу вы не сказали, как вас зовут.

«Не сказал».

— Почему?

«Я не был уверен».

— В чем?

«Что это точно вы».

— А теперь, значит, вы уверены, что это я, и решили продолжить разговор, а обо мне вы, конечно, и не думали. Так вот что я вам скажу. Вы можете сколько угодно рассуждать о том, я это или не я, но меня прошу не беспокоить и в мое жизненное пространство не влезать. До свидания. — Выдохнув эту длинную тираду, Пупель надула губы и села на диван.

«Ни о чем сейчас не буду думать, — решила она. — Просто буду тупо смотреть в потолок, этому назло».

Она принялась окидывать взглядом комнату, пытаясь уловить хоть какое-нибудь движение или дуновение, а может, скольжение легкой тени или еще чего-нибудь. Ничего неестественного не происходило.

Внезапно раздался телефонный звонок. Пупель вздрогнула. Судорожно схватила трубку в надежде, что перезванивает Магда. Это был Марк.

— Пупа, у тебя как в конторе: звоню час — занято, занято, — Марк всегда начинал именно этой фразой.

Пупель успокоилась, расслабилась и отвечала уже как по всегдашнему маслу:

— Ничего подобного, с Магдой пять минут поболтала, больше никто не звонил, я вообще спала, так что это все бред и лепет.

— Я несколько раз набирал, — упирался Марк.

— Значит, не сильно-то ты дозванивался.

Пупель заранее знала весь сценарий, ей стало скучно.

С Марком она общалась без особой радости, но отвращения он у нее не вызывал. Он вошел в ее жизнь в то время, когда ей было ни до чего, и остался по инерции. Иногда Пупель хотелось сказать ему: «До свидания, зачем это все?» И она даже это говорила время от времени, но потом как-то все рассасывалось. Характер у Марка был такой, он звонил как ни в чем не бывало, и все продолжалось.

— Что собираешься делать? — спросил Марк.

— Не знаю еще, думаю.

— У меня приглашение на Арт-Манеж, сегодня открытие, пойдешь?

— В котором часу?

— В семь.

— А сейчас сколько?

— Шесть.

— Надо же, мне казалось, что сейчас часов восемь-девять, темно уже.

— Так ты пойдешь?

— Если сейчас шесть, открытие в семь, то почему бы и нет?

— Что-то не слышу энтузиазма?

— А как я должна? С придыханием промурлыкать в трубку: «Милый Марк, как ты любезен, что соизволил пригласить меня на такое светское мероприятие, теперь я буду чувствовать себя твоей должницей на всю оставшуюся жизнь», так, что ли?

— Нет, можно было сказать просто: «Конечно, я пойду, милый Марк!»

Пупель тяжело вздохнула. Она уже представила себе весь ход беседы: с занудством Марка, с его неинтересными, давно известными шутками, с рассуждениями о том, как Пупель должна себя с ним вести и что должна отвечать на его глупые вопросы.

— Чего вздыхаешь? — загудел Марк. — Разве трудно сказать: «Я с удовольствием пойду, я соскучилась и очень рада буду тебя видеть»?

— Я же это и сказала, по-моему?

— Нет, ты сказала, почему бы и нет, если сейчас шесть, а открытие в семь.

— Так это одно и то же.

— Это не одно и то же, и ты прекрасно понимаешь.

Пупель замолчала. Про себя она начала думать: «А может, послать его к едрене фене? Сказать, что не пойду, пусть надуется, посижу дома, эскизы поделаю, ну его к шуту»?

— Что молчишь? — Голос Марка зазвучал настороженно.

— Да так.

— А мне показалось, что ты расстроилась, я, помоему, ничего обидного не сказал, и в мыслях у меня ничего такого не было.

— Я же сказала, пойду, сколько можно это мусолить.

— Ты это сказала таким голосом!

— Мне кажется, что тебе охота препираться, чтобы я не успела собраться и чтобы мы не попали на открытие, и ты меня потом бы корил, и вообще, почему ты меня приглашаешь так поздно?

— Я звонил, все время было занято.

«Опять сказка про белого бычка, — подумала Пупель. — Нет, это просто невыносимо!» Потом она быстро прокрутила про себя вечер без похода на выставку: «Посижу с эскизами — неохота как! Потом придется что-то готовить... Нет, лучше схожу!»

— Ладно, где встретимся?! — довольно бодро выпалила она.

— Я могу зайти за тобой.

— Давай лучше там, у Манежа.

— Хорошо, я буду ждать тебя у входа пизпити семь.

— Жди меня бизпити.

— Ну уж нет!

— В человеке не это самое главное.

— Девушку всегда украшают ум и прозрачное платьице.

Эту шутку Пупель слышала от него раз пятьсот, она уже пожалела, что позволила себе расслабиться и ответить на глупость Марка.

«Никогда, никогда этого не надо делать, — подумала она. — Односложные предложения, которые ни в коем случае не предполагают длинных сентенций».

— Значит, у входа, — сказала Пупель, повесила трубку и потащилась на кухню.

«Чаю, что ли, выпить? — подумала она. — Нет, не успею, надо сполоснуться. Что же нацепить-то на себя? Надо было отказаться, посидеть с этими сраными эскизами. Да ладно! Развеюсь, посмотрю на людей, протуснусь, перекусить можно потом в кафешке. Есть хочется, значит, я здорова». Она разделась, включила воду и уже собралась залезть в ванну, как вдруг...

«Конечно, несмотря на то что он чудовищный зануда пойти туда просто необходимо», — прозвучал голос незнакомца прямо у самого ее уха.

— Да что же это такое?! — завопила Пупель, инстинктивно прикрываясь полотенцем. — Это опять вы? Как же вам не стыдно? Я голая в ванне, по-моему, мы уже простились? Вы не могли бы отсюда как-нибудь выйти, мне крайне неудобно стоять в обнаженном виде, сейчас уже вода начнет переливаться.

«Что, слив не работает?» — поинтересовался наглый невидимка.

— Слив работает, а знаете что, если вы так бесцеремонны и я вас все равно не вижу, мне, в общем-то, наплевать. — С этими словами она кинула полотенце на пол и залезла в ванну. Приятная истома охватила ее, вода была теплая и мягкая.

Пупель вытянулась и расслабилась. Чувство умиротворения и покоя охватило ее.

— Раз уж вы все равно здесь, то не затруднит ли вас принести мне с кухни сигаретку и пепельницу, люблю покурить в ванне, — попросила она, — или это нереально?

«Сейчас, — произнес голос. — На кухне, говоришь?»

— Должны быть там.

Пупель лежала и прислушивалась. Ей становилось интересно. Страха она больше не испытывала, чувство острого любопытства охватило ее.

— Ну что, нашли?! — крикнула она.

«Иду, несу», — раздался голос из кухни.

Пупель одним махом выскочила из ванны. В мгновение ока она впорхнула в кухню. Никого. Пупель в растерянности остановилась на пороге и, как сова, начала крутить головой во все стороны. Тишина. Стоять на кухне было холодно и мокро. Она стремглав побежала обратно, услышав, как в ванне включилась вода. На ящичке для белья стояла пепельница, а в ней дымилась зажженная сигарета.

— Вы уже и прикурили мне, как это любезно, — выдохнула Пупель, залезая обратно в ванну.

«И водички тебе горяченькой подбавил, ванна быстро остывает, — произнес голос. — Кстати, пепельница действительно была на кухне, а сигареты в комнате под диваном».

— Как вы это делаете? Вы что, приняли какой-то эликсир и стали невидимкой?

«Можно и так сказать».

— А как еще можно сказать?

«Сказать можно все, что угодно».

— Вы все время иносказаниями говорите, это так нелепо.

«Что же в этом нелепого?»

— Нелепо то, что я голая в ванне перед вами лежу, или сплю, или еще что, и на любой вопрос «почему?» вы отвечаете мне всякими прибаутками.

«Я отвечаю по возможности».

— Как я уже успела заметить, возможности у вас весьма и весьма... Скажите, зачем вам это нужно и почему именно я?

«На какой вопрос ты хочешь получить ответ?»

— Когда я с Марком разговаривала, вы подслушивали?

«Да».

— А когда с Магдой?

«Слушай, ты знаешь, который сейчас час? Валяешься в ванне, куришь, а нам пора на открытие трогать. Ты же сама говорила: без пяти семь, времени у тебя только быстро одеться и выметаться».

— Что значит нам? Марк приглашал только меня! — начала возмущаться Пупель. — Это ни в какие ворота не лезет, мы с вами почти незнакомы!

«Опять ты за свое. Незнакомы? Да мы практически близкие друзья! Разве можно просить незнакомого человека принести сигаретку в ванную, как ты считаешь, Пупель?»

— Вот опять несправедливо получается. Вы знаете, как меня зовут, а я понятия не имею, кто вы...

«С первого взгляда ты мне не показалась такой ужасной занудой. Хочешь знать мое имя, так и говори».

— Так и говорю, — неуверенно пробормотала Пупель.

«Меня зовут Устюг. Давай, вылезай по-быстрому».

Пупель вылезла из ванны, наспех вытерлась мокрым полотенцем и побежала одеваться.

— Черные брюки и серую кофту, — по привычке начала рассуждать она вслух.

«Ее же моль съела», — раздался голос.

— Ну да, эта мерзота весь мой гардероб покоцала, — механически ответила Пупель.

Потом она спохватилась и уже хотела задать вопрос невидимому Устюгу, но он не дал ей ничего сказать, сделав дельное предложение:

«Терракотовую, кстати, она не такая мятая».

— Да, да.

Пупель в мгновенье была одета.

«Вот это мне нравится, — сказал Устюг. — Быстрота сборов меня всегда радует. Надо уметь моментально одеваться».

— И раздеваться? — съехидничала Пупель.

«Напротив, раздеваться нужно не торопясь, аккуратно складывая одежду».

— Ты прямо как моя мама, — сказала Пупель.

«Ну, наконец-то!!!» — воскликнул Устюг.

— Что такое?

«Теперь мы уже на ты, не прошло и нескольких часов, как это трогательно».

— Это у меня случайно вырвалось, — начала оправдываться Пупель.

«Мне очень нравится такое обращение, пошли быстрее, опаздываем, это недопустимо».

Пупель выскочила на улицу. Собаки у ворот не было, народу тоже. Она быстро пробежала по своему переулку и оказалась на Большой Никитской. Тут она посмотрела на часы.

«Успеваем», — прошептал Устюг.

— Ты здесь?

«Тут я, рядышком».

— Погоди минутку, как же это все будет выглядеть? Что я скажу Марку?

«Выглядеть это никак не будет. Марку можешь ничего не говорить. Я еще не знаю, надо ли ему вообще что-либо говорить. Посмотрю там по обстановке. Разные бывают люди. Может, он совсем не пригоден для общения».

— Да, ты прав, для общения он сложноват. Марк — скульптор.

«Это как раз ни о чем не говорит».

— Ошибаешься. Много ты видел скульпторов, интересных в общении? — затараторила Пупель.

Ответа не последовало.

— Что молчишь?

«Я думаю, вспоминаю».

— Ну и как?

«Не могу вспомнить ни одного общения со скульптором».

— Меня интересует практическая сторона.

«Практической стороны в этом деле не будет. Тут другое намечается».

— Я не об этом. Я буду странно выглядеть на людях, разговаривая сама с собой.

«Этого не будет. Все чики-пуки. Вот ты идешь по улице, разговариваешь со мной, и никто внимания не обращает. Никто этого не слышит».

— Как в сказке о Старике Хоттабыче. *Никто твоей подсказки не услышит.* Слушай, Устюг, а ты случайно не джинн?

«Случайно нет. Кстати, про Хоттабыча я только что узнал от тебя».

— Да погоди ты про Хоттабыча, на улице никто внимания не обращает и это нормально. Я сама часто на улице вижу людей, которые разговаривают сами с собой, и никакого внимания не обращаю, вернее, я обращаю, но виду не показываю.

«Расслабься».

Пупель увидела длинную сутуловатую фигуру Марка издалека. Он стоял у входа в Манеж, курил и смотрел по сторонам. Пупель натянула улыбку на лицо и направилась к нему.

— Вот видишь, я вовремя, — бодреньким фальшивым голосом пропела она.

— Иногда с тобой случаются удивительные вещи.

— Да уж... — Пупель хотела что-то такое съязвить, но, не успев придумать что, услышала голос Устюга: «Не надо, все равно не поймет, только настроение испортишь».

Пупель посмотрела на Марка, чтобы проверить его реакцию. Марк явно ничего не слышал. «Попробую по-другому», — подумала Пупель.

— Почему ты думаешь, я должна испортить себе настроение?! — сказала она громко вслух.

— Ты сегодня какая-то задумчивая, — сказал Марк. — Даже меня не чмокнула.

«Я же говорил — все будет тип-топ», — захихикал Устюг.

— Нет, я так не могу, — заговорила Пупель. — У меня с координацией плохо, я не могу одновременно с вами двумя разговаривать.

— Ты меня слышишь? — забубнил Марк.

«Не парься», — прошелестел Устюг.

Пупель, совершенно растерявшись, произнесла:

— Хорошо.

— Хорошо, так пойдем, — сказал Марк.

«Можешь, если хочешь», — бодренько произнес Устюг.

— Да, но меня это очень напрягает, ты мог бы спокойно, без комментариев посмотреть выставку и дать это сделать мне.

«Конечно, конечно», — успокаивающе, как доктор, заверил ее Устюг.

Пупель и Марк вошли в Манеж. Народу было как селедок в банке, или даже больше, трудно найти такую банку. Хотя сочетание «селедка в банке» подразумевает под собой некую однородность массы.

В Манеже никакой однородности не было. Толпа пестро одетых; и просто одетых; и странно одетых; и в одежде гениев растекалась по всем направлениям, хаотично, беспринципно, полихромно.

Увидев все это количество и даже еще не успев взглянуть на картины, Пупель подумала: «Зачем? Надо было бы... И что теперь? Господи, прости!» Потом она стала рассуждать про себя так: «Ничего, посмотрю на картины. Я же, собственно говоря, сюда именно за этим пришла, а не на удодов смешных смотреть. Я же не в зоопарк притащилась, а чисто поднять настроение, приобщиться к прекрасному и вечному».

Марк шел чуть впереди, довольный собой и окружающими. У него это просто на спине читалось. «Посмотрите на меня, — говорила спина Марка. — Вот иду я — великий скульптор, созидатель и всепонимающий творец!»

Они приостановились у галереи Сусанны Буковой. Марк раскланялся с Сусанной, приложился к ее пухлой ручке и завел душещипательную беседу о красоте экспозиции и качестве картин.

Пупель окинула взглядом стены в загоне. Помпезные золотые рамы, глянцевые кричащие и свистящие картинки с розовощекими арлекинами, понуро тусклыми пьеро и тортиково-шоколадными гномами. Пупель, воспользовавшись тем, что Марк самозабвенно, закатывая глаза, беседовал с Сусанной, двинулась дальше вдоль загонов.

«Чего только нет у меня в лесу, — внезапно пришел ей в голову детский стишок. — И лось, и сова, и барсук, и кто-то вдали залезает на сук, мне еж вышивает рубашку крестом, приходит коза с молоком, лисичка мой дом подметает хвостом...»

Вот псевдо-Волков в огромном количестве. Даже если предположить, что Волков, к примеру, рисовал по пятьдесят картин в день, хотя это абсолютно невозможно, ни в каком порыве нельзя каждый день рисовать по пятьдесят картин, но если взять это за гипотезу, то получается, ничего не получается, этого не может быть, потому что не может быть никогда.

Вот якобы Яхонтов — безумный художник, умерший в психушке, — бедняга даже представить себе не мог в самом своем безумном сне, в каком количестве будут подделывать и продавать его картины — бумажки с цветочками, зверюшками, нарисованные паршивыми цветными карандашами.

Передвигаясь из загона в загон, Пупель становилась все грустнее и грустнее, — как здесь всего много, чудовищные множества, какое все, огромные какие раскрашенные. Это очень концептуально, это попроще, так поличнее, это для кухни. Наверное, этот пейзаж с холмом и ярко-кубовой полосой может позволить себе преуспевающий бизнесмен в период процветания бизнеса, а этот камелопардовый натюрморт — бизнес-вумен к терракотовому дивану в будуаре.

Картинки цвета испуганной мыши в дешевых рамках сразу выдают принадлежность художника к секции «Союза Профессиональных Живописных Творителей», а бланжевые мастодонты — творения секции «Союза Объединенных Творцов».

— Но нету слоненка в лесу у меня, слоненка веселого нет, — продолжала декламировать Пупель.

Она остановилась у огромных холстов с изображением чудовищных цветов, то ли ромашки, то ли каллы. Рядом с ней стояла причудливая пара: немолодая женщина с сильно оштукатуренным лицом, тусклыми глазами, в красной широкополой шляпе с бантом, в длинной до полу юбке и мужичок не то в камзоле, не то в рединготе, в тюбетейке на бритой голове и с серьгой в ухе. Дама лепетала:

— Очень мило, очень симпатично, так неожиданно, такой размер.

Мужичок, скептически улыбаясь, изрек:

— Дорогая, ты сама прекрасно понимаешь, что размер — это не самое важное. Сколько лет ты работала натурщицей, навидалась небось всяких размеров.

— Конечно, милый, — засюсюкала женщина. — Я хотела сказать — приятные формы, такой изысканный лаконизм.

Внезапно у Пупель что-то тюкнуло в виске, и она явственно услышала мысль женщины в шляпе.

«Уродец, — подумала тетка. — Размер, размер... Тебе ли об этом говорить, старый сморчок, да я тридцать лет работала натурщицей и ни капли об этом не жалею! Хоть художников приличных повидала, а что: а Барсуков, а Сокойко, а Чундриков, даже Кукаринский и то тебе не чета. Господи, когда привыкаешь ощущать себя молодой красивой женщиной, так трудно отвыкать. Теперь приходится ходить здесь с этим старым напыщенным индюком, рядящимся под пидора! Был бы хоть человек хороший, а то жаба — жабой, жмот — жмотом, тошно смотреть. А гонору... Неужели он сам не понимает, что смешон и убог, ушко проткнул, идиот, когда успел? Или это у него всегда было, остатки бурной молодости, нет, в молодости у нас так не принято было. Тьфу, гадость! Какая шея у него — как у размороженной курицы! На фуршет опоздали, там, поди, одни тарелки пустые остались и минеральная вода, хоть воды попить сходить, что ли?»

— Дорогой, — жеманно произнесла дама. — Пойдем на фуршет, что-то в горле пересохло.

Мужик криво ухмыльнулся, и они отчалили.

Пупель растерянно смотрела им вслед. «Это все Устюгова работа, — думала она, — точно его рук дело, если, конечно, они у него имеются в наличии».

«Конечно, имеются, я же не змея, — как гром среди ясного неба прозвучал голос Устюга.

— Ты здесь? — Пупель даже обрадовалась ему.

«А где же еще? Я придерживаюсь такого принципа: вместе пришли, вместе ушли, вместе вкушаем, хором обсуждаем».

— Какой ужас!!!

«А чего ты хотела?»

— Я думала, что-нибудь... Ну, как это сказать?.. Получу пищу для размышления, удовольствие и всякое такое. А тут такое!

«Да ладно тебе. Вкушение искусства дело специфическое, тут есть разные подходы. Стишки про слоников ты же читала, или тебе охота устроить публичное обсуждение с бурными спорами».

— Стихи про слоников я читала, чтобы себя немного успокоить, привести в равновесие чувства.

«Значит, пора переходить к открытому выступлению, раз чувства уже приведены в надлежащее состояние. Выступать надо спокойно и уверенно».

— Ты смеешься надо мной?

«Отнюдь, просто мне кажется, если что-то накопилось, необходимо выплеснуть».

— Ты серьезно?

«Как никогда».

— И ты думаешь, кого-то заинтересует мое мнение?

«Это совсем неважно. Ты должна высказать все, что думаешь».

«А почему бы действительно и нет?» — подумала Пупель.

«Вот и я говорю, почему бы? — эхом отозвался Устюг. — Пойдем во-он в тот зал, там все скажешь».

Пупель прошла в другой зал, встала в центре, выпрямилась, расправила плечи и произнесла:

— Господа...

«Смелее, — раздался голос Устюга. — Вперед!»

— Душно здесь. Вам так не кажется? Вам не страшно? Вакуум какой-то образовался... Пустота... Вы чувствуете запах? Может быть, так и должно быть? На рынке много фруктов и овощей, и они красивыми рядами уложены на прилавке в безумно дорогих рамах. Все хотят жить или нет? Честно скажите — все в порядке, и давайте не думать, не мечтать. Давайте потихоньку спустимся вниз и не будем ничего вспоминать, просто забудем и условимся, что теперь все только так. Но если мы об этом договоримся, зачем тогда все? Больше ничего не будет, и от этого станет совсем грустно, нет, это не те слова, тогда конец, если не будет, мы дальше не сможем... Трудно начинать, ничего не получится. А если попробовать, одним махом? Только по-честному и чтобы все. Давайте, кто что думает и чувствует, тот то и говорит? Будем стараться, плохое это слово, детское какое—то. А по-другому нельзя. А то одни соленые огурцы и слезы тоже соленые.

Произнеся про слезы, Пупель почувствовала, что глаза ее действительно наполнились слезами, и все в округе помутнело.

— Неужели нельзя было меня подождать, рядом пять минут постоять, — раздался голос Марка.

«Немного сбивчиво, но в целом для первого раза ничего», — произнес Устюг.

— Ты думаешь?

— Я думаю, если мы вместе, то надо держаться друг друга, — Марк был очень раздражен.

— Вместе приходим, вместе уходим, вместе вкушаем, хором обсуждаем, — Пупель улыбнулась сквозь слезы.

— Не надо иронизировать, в этом на самом деле есть своя прелесть.

Голос Устюга перекрыл нытье Марка:

«Так, о речи... Что касается настроя и темы, то все правильно, но форма! Форма совсем убогая: все эти сравнения — огурцы, рынки — слишком в лоб, сплошное резонерство. Ты же пишешь прозу, почему речь такая косноязычная и топорная?»

— Я растерялась.

— Прекрати паясничать, — взорвался Марк.

— Столько народу вокруг, мысли сбились в кучу, я что-то лепетала.

Марк окинул настороженным взглядом Пупель.

— С тобой все в порядке? — задал он классически безразличный вопрос.

«Зато, наверное, легче на душе стало?» — голос Устюга звучал мягко и успокаивающе.

— Да, мне гораздо лучше.

Марку явно не хотелось обсуждать ее самочувствие. Он пропустил последнюю фразу мимо ушей и бодрым голосом начал пересказывать свой разговор с Сусанной.

— Так хорошо все перетёрли. Вся Москва практически уже охвачена моими ангелами. Теперь она хочет попытаться впарить их Симу. Он тут на выставке сейчас тусуется, представляешь, только что в ее галерею заходил. Разминулись буквально на пять минут.

— Это еще кто?

— Есть один деятель. Крупная птица, матерый человечище.

— Редкая, говоришь?

— Не то слово, магнат-меценат. А Сусанна — баба хваткая. Говорит, к нему трудно пробиться, но она ему столько сейчас напела комплиментов, жопу прямо лизала, он вроде был благожелателен, обещал в ее галерею заглянуть и карточку свою дал. Это очень обнадеживает, мало ли, вдруг выстрелит. Типа, попытка не пытка, сейчас на мелкую пластику такой спрос, картинами поднаелись, теперь им скульптурки хочется.

— Сколько можно ангелами торговать? — этот вопрос Пупель был впервые обращен к нему.

— Моя мечта — по-настоящему, по-большому поставить это дело на хороший поток.

— Слушай, Марк, а ты не боишься?

— Я не думаю, что она сильно будет нагреваться на мне, скульптура вещь дорогая, максимум пятьдесят процентов.

Пупель посмотрела на него изучающе. После короткой паузы она произнесла:

— Потоки — опасное дело, иногда они смывают все на своем пути, особенно неприятны мутные селевые потоки.

«Вот уела так уела!» — Устюг просто давился от смеха.

Пупель улыбнулась.

— Что ж, нам пора, — сказал Марк. — Дело сделано, с Сусанной, я думаю, все будет хорошо. Глазки у нее загорелись, ты все посмотрела?

Пупель опять улыбнулась.

— Я не только все посмотрела, я еще публично высказалась.

— Где?

— Прямо тут, на этом самом месте.

Марка это все не интересовало. Он находился в состоянии удовлетворенного человека, и ничто его зацепить не могло.

— Поужинаем? — предложил он.

— Где?

— Сегодня хочется чего-то очень простого и скромного.

«Сегодня! — подумала Пупель. — Жадность, жадность и еще раз жадность».

— Сыру можно в магазине купить, — пропела она. — Водички тепленькой попить, — это не было произнесено вслух.

Марк сарказма не уловил, он на минутку задумался и пафосно произнес:

— Сыру я не хочу, может — шашлычку в «Старом кувшинчике».

Пупель терпеть не могла этот чертов «Старый кувшинчик», дешевый ресторанчик с невкусной кавказской кухней и отвратительно-громкой музыкой. Она сначала хотела резко что-то вякнуть, но потом ей стало лень, и она молча кивнула.

— Пойдешь с нами в хренов «Кувшинчик»?! — громко спросила она невидимого Устюга.

«Ты меня приглашаешь? — Устюг захихикал. — Ничего, к сожалению, не получится, я не думал, что ты так его терпеть не можешь».

— Я его не так терпеть не могу, я его терплю, просто вышло бы смешно.

«Из преданий своей семьи я знаю, что мой прадедушка или прапрадедушка употреблял пищу. Но это, сама понимаешь, было очень давно, для меня это архаика. Я не смогу в «Кувшинчике» выступить в роли всепоглощающей прорвы, просто посижу, потрепаться могу туда-сюда».

— А туда-сюда это что?

«Это фигурально, опять не то, что ты подумала».

— Я этого не думала, ты же знаешь.

«Это я тебя подколол».

— Значит, все-таки ты привидение?

«Если человек не употребляет пищу — он привидение. Нормальная женская логика...»

— Человек не может жить без пищи и тем более без воды.

«Боже мой, что я слышу? Если я не ем сыра и не пью воду, значит, я не могу существовать, так, по-твоему?»

— А что ты ешь?

«В траве ловлю я мотыльков...»

— Где же я тебе их сейчас поймаю?

«Выставка подействовала на тебя подавляюще...»

— А ты и рад! Смейся, шути, а я, между прочим...

— Да что с тобой сегодня? Что ты молчишь? — Марк скорчил недовольную гримасу. — Мы идем в «Кувшинчик»?

«Вперед в «Кувшинчик»! Мне тоже захотелось чего-то простого и скромного, устаешь от пышности и богатства!» — выкрикнул Устюг.

Пупель хихикнула.

— Идем, идем, — кивнула она Марку и бодро направилась к выходу.

История Пупель

Это случилось в конце зимы. Пупель отправилась в мастерскую Севашко. Шел мокрый снег. На улице было совсем неуютно. Слякоть и всякие сыро-гнилости.

Пупель мужественно преодолевала все, практически не замечая погоды. Она думала о новой модели у Севашко. Натурщица Люда на стуле. Вроде бы ничего особенного, ученики часто рисовали сидящую обнаженную натуру. Это было рутинным мероприятием.

По методе Севашко нужно было сначала посадить натуру в листе — незыблемое правило, — а потом отмоделировать и придать характер, проще пареной репы. На прошлом занятии Пупель добросовестно выполняла правила: усадила Люду в листе и даже начала моделировку. Когда Пупель приступила к этой самой пресловутой моделировке, она неожиданно взглянула на Люду, так сказать, отстраненным взглядом, неметодическим таким простым взглядом. Она увидела не натурщицу Люду в положении обнаженной сидячей натуры, а нечто совсем другое.

Пупель вдруг ошеломило очень специфическое лицо, которое находилось в полном диссонансе с фигурой. Крепко сложенная молодая фигура абсолютно не сочеталась с измученным увядшим лицом страдающей инфанты, которая состарилась от внезапного горя. Пупель еще тогда, на прошлой постановке решила, что обязательно нарисует Люду именно так, в образе страдающей испанской инфанты.

Добравшись до мастерской практически вплавь, она уверенно открыла дверь.

Люда еще не пришла. В ожидании натурщицы в центре мастерской рядом с включенным калорифером стоял пустой стул. Все ученики и Севашко сгрудились в углу вокруг разложенных на полу рисунков. Севашко рассуждал вслух:

— Вот это — добре, — говорил он, — вот это — класс, молодец мужик, не рохля. Сколько, ты говоришь, раз поступал, шесть?

Пупель начала искать глазами того, к кому были обращены лестные слова Севашко. Он как раз встал с корточек со смущенной улыбкой.

— Вот, ребята, посмотрите, какой рисовальщик этот вот мужик, это я люблю, шесть раз поступал в наше высшее художественное заведение. А зачем, спрашивается, ему надо поступать в заведение, когда он и так все умеет, ну добре, поступишь, Максим, это я тебе обещаю. Тебе с одной целью полезно будет туда поступить, чтобы балбесы все на тебя смотрели и хоть немного поумнели и, может, пример взяли, добре, добре.

Пупель уставилась на Максима. Он внимательно смотрел на Севашко.

Огромный, крепкий, даже слишком плотный, с ярко-рыжими вихрами, с такой же рыжей кудлатой бородой, сильно курносым носом и голубыми глазами, в сером костюме и до блеска начищенных ботинках.

«Как, интересно, ему удалось добраться по такой грязи и ботинки не испачкать? — подумала Пупель, посмотрев на свои замызганные сапоги. — Похож на купца с картинки. Весь такой блестящий, чистенький, розово-здоровый». Пупель подошла поближе и начала рассматривать работы Максима. Рисунки были изумительные. И не только крепостью своей подкупали они — в них просматривалось что-то другое, в общем, это совсем не были ученические рисунки. В них ясно читалась рука мастера, знающего и по-своему ощущающего натуру. Очень хорошие рисунки.

Севашко заметил ее.

— Вот и Пупа наша припупилась, — проскворчал он. — Посмотри, Пупа, какой к нам рисовальщик пожаловал, это тебе не хрен поросячий, шесть лет не брали, уроды. Посмотри, какой богатырь, Максим-Муромец.

Пупель посмотрела на Максима, а Максим в это же время посмотрел на нее — очень редко, но бывает. Бабах и все.

Шло время, в мастерской Севашко все проистекало по всегда заведенному плану, натурщики и натур-

щицы сменяли друг друга. Они сидели, стояли, лежали в ракурсах. Ученики строили, моделировали, штриховали, не жалея карандашей и ластиков. Севашко мудро вел их к заветной гавани — поступлению в высшее художественное заведение.

Пришла весна-красна. Чудо-время.

Пупель и Максик, — так его теперь называли все, это Пупель придумала и прижилось, уж больно неподходящее имя для былинного богатыря, но самое неподходящее часто укореняется, топором не вырубишь, — пребывали в состоянии чумовой влюбленности. Со стороны, наверное, это все смотрелось очень странно. Длинноносая, худющая, губастая Пупель и коренастый, огромный, рыжебородый Максик, одна его рука была, как две ее ноги.

Они, конечно, на всех плевали, им совершенно было все равно, как это смотрится со стороны.

Когда они целовались, ангелы им улыбались. А они в счастье купались, смеялись и баловались. Так им легко дышалось. Один на двоих вдох.

Хорошо-то как, ох! Мед-пиво из одной кружки, сладка на двоих ватрушка.

Максик поступал в высшее художественное заведение уже шесть раз и твердо решил в этом году сделать последнюю попытку. Нет так нет, — они дождутся, когда Пупели исполнится восемнадцать лет, и сразу же поженятся.

Максик работал художником-оформителем в одном очень секретном почтовом ящике. Он неплохо зарабатывал, правда, много денег уходило на подготовку в высшее художественное заведение, а если на это заведение забить, то можно спокойно проживать с любимой. Так он думал. Пупель на эту тему совершенно не думала. Она была абсолютно непрактичная, домашняя девочка-цветок. Она хотела жить с Максиком, ни о чем не задумываясь, и рисовать вещи, не имеющие никакого отношения к академическому линейному и тональному рисунку. Максику очень нравилось то, что она делала вне мастерской великого Севашко.

В тот самый первый день их знакомства, когда Максик появился со своими работами у Севашко, все рисовали натурщицу Люду. Максик встал с мольбертом прямо за Пупель. Он с удивлением наблюдал, как она пририсовала Люде несуществующий веер, нарочито усугубила складки на лице, придавая ей жесткий, даже страдающий характер. Он так увлекся этим наблюдением, что не заметил подошедшего Севашко.

Севашко посмотрел на него, на его пустой лист и изрек:

— Э-э-э, нет, так дело у нас не пойдет. Ты давай не глазищи лупи, а дело делай. Время-то уходит, у меня здесь так — пришел, нарисовал, поступил, а это что еще такое?! — буквально закричал он, увидев рисунок Пупели. — Это что за самодеятельность, что за провокации?! Разброд и шатание!

Пупель съежилась, покраснела.

— Ты это дело брось, Пупа, ты тут мне мерехлюндию не разводи, народ не смущай, подумают еще, что в кружке пионерском находятся.

Севашко вытянул руку и большим белым кохиноровским ластиком, прямо через плечо Пупели, стер веер и прошелся по лицу инфанты — Люды.

— Смотри на натуру. Ничего не надо пририсовывать, не в цирке.

Пупель молчала. Внутри у нее что-то закипело, что-то забулькало, заколотилось. Вдруг она услышала шепот Максика у самого уха:

— Это дома надо делать, тут табу, рисуй тихо, не выпендривайся, помочь тебе?

Пупель повернулась к нему:

— Не надо, я умею, просто захотелось.

Максик посмотрел на нее: понимаю, было очень классно, поговорим потом. Пупель успокоилась и принялась моделировать, прорисовывать нос, скулу на первом плане. Максик сделал блестящий рисунок, практически в один присест.

— Вот это понимаю, это молодец, посматривай за Пупкой, она у нас с прихвостью. Многому уже научилась, но дурь не вся вышла. Я смотрю, ты ей приглянулся, она у нас гарная девка, но норовистая, характер бой, пахать на ней можно без бороны, не смотри, что кожа да кости.

Пупель опять скукожилась и насупилась.

Севашко глянул и на ее рисунок, кивнул, произнес удовлетворительное:

— Це добре, а то ишь чего наудумывала.

Пришла весна-красна. Хорошо на реке, светло на душе.

Пупель и Максик любили ездить в Коломенское с этюдниками. Там на пленэре весной они испытывали минуты полного блаженства и эйфории.

Пупель в ярко-желтой куртке, в зеленой блузе, в беленьких сапожках на тонких ногах, Максик в кирзовых сапогах, в свитере-самовязе, в ветровке, с сигаретой во рту.

Они рисовали, болтали, целовались до одури.

Когда они рисовали, за ними музы стояли и на лирах играли, а когда говорили, с неба лучи светили и золотом их покрывали, и не было места печали.

Печаль уходила в сторонку, в кустах жевала соломку.

В академическом рисунке Максик был на десять голов выше Пупели. Он объяснял ей некоторые вещи на понятном ей языке, и она моментально улавливала. Пупель тоннами рисовала своих испанских принцесс, придурковатых цыганок, безумных лошадок и осликов. Максик искренне восхищался, он ей говорил так:

«Ты такая талантливая, у тебя такой взгляд на все, может, не стоит тебе себя мучить, может, хрен с этим высшим художественным заведением, может, бросим это все псу под хвост. Я буду Ленинов рисовать, денег нам хватит, а в остальное время — жить только для себя, будем самосовершенствоваться. В музеи ходить и учиться у великих».

Пупель ему возражала, она говорила так:

«Что ты, что ты такое говоришь? Тебе надо обязательно поступить в высшее художественное заведение, если не ты, так кто же достоин? Осликов у меня никто не отнимет, но мне туда тоже надо. Нам надо получить корочку, чтобы потом я могла осликов рисовать, а ты шедевры свои писать. Чтобы нас никто не попрекал, что мы без корочки рисуем и тунеядствуем, чтобы мы свободными стали».

Зачем она это говорила?

Зачем он ее слушал?

Весна-красна, надолго ли пришла? Весна — глаза болят от блеска.

Весна — и голова по кругу. Трава, река и небо — яркая картинка.

На цыпочках печаль выходит из сторонки, в руках — кусочек жеваной соломки.

Глава 3

С мифологической точки зрения Меркурий постоянно находится рядом с солнечным божеством Гелиосом. Он исполняет функцию посланца богов, передавая на Олимп пожелания людей.

— Я что, должен в воздухе развернуться, чтобы на этот поворот попасть? Мы уже проехали! — Водила попался злобный, баранистый такой.

— Как тебе атмосферочка? — обратилась Пупель к Устюгу.

Никакого ответа не последовало.

— Ты здесь? Чего молчишь?

Тишина.

«Он, наверное, не успел сесть и остался там, под дождем, — начала про себя рассуждать Пупель. — Хотя это странно, что теперь делать? Назад ехать? Как это будет выглядеть? Что я скажу? Марк, попроси шофера вернуться, я потеряла свое привидение, и видишь ли, без него никуда ехать не хочу, потому что уже успела к нему привязаться? С ним так прикольно, совсем не как с тобой, с ним мне спокойно и смешно и... в общем, да...»

Пупель сразу как-то помрачнела, загрустилось ей очень. Перспектива провести остаток вечера в «Кувшинчике» с Марком совершенно ее не грела.

Она начала рассуждать про себя: «Вот что интересно, ведь это только сегодня все началось, ведь я слыхом не слыхивала про этого Устюга, и что это вообще такое? Кто он? Вот надо же, только сегодня все это произошло, а мне так грустно, он пропал и все. А дальше-то как? Интересно все-таки, почему он пропал, в прошлый раз во сне, как он это объяснял? Связь пропала или еще что? Какая связь? А что, если он больше никогда не появится? Это как в «Малыше и Карлсоне», Малыш тоже так думал. Так. Стоп! Карлсон был плод фантазии Малыша. Значит...»

Машина подъехала к «Кувшинчику». Марк расплатился, и они вышли.

— Сейчас поужинаем, наконец-то мы вдвоем, — Марк был в чудесном настроении.

Он, казалось, совершенно не замечал подавленности Пупель. Они вошли в «Кувшинчик».

Полна народу зала, музыка уж играть устала...

Если бы. Музыка гремела во всю мощь. Электрическая скрипка — фанерный звук, певец, заливающийся — Арго, тра-ля-ля, нам с тобой дорога тра-та-та.

Пупель и Марк уселись за столик прямо под кувшинчик. Официантка принесла меню.

— Что будешь?! — крикнул Марк, пытаясь перекричать певца.

— Тордочки с лаксмердончиками, — выдавила Пупель.

— Что? — Марк или не понял, или не расслышал.

«А в принципе хорошо, что здесь такой гвалт, разговаривать не надо», — подумала Пупель.

— Люля-кебаб! — выкрикнула она. — И бокал белого вина!

Марк заказал люля ей и себе и два бокала вина и, по-видимому, был доволен ее выбором. Люля было самое дешевое блюдо.

Заказанное быстро принесли. Певец все еще пел нескончаемую песню про аргонавтов, про эту чудовищно трудную длинную дорогу. И дорога длинная, и припев невыносимый — найнанайнаннанаанна, найнанайнанна.

«Сдохнуть можно», — подумала Пупель, ковырнув вилкой кебаб.

— Что с тобой сегодня? — Вопрос Марка вывел Пупель из задумчивости.

— Не знаю, спать хочется.

— Сейчас поужинаем и поедем спать.

Пупель промолчала.

— Ты что, из-за Сусанны расстроилась, из-за того, что я с ней так долго трепался, так ведь это по делу.

«Господи, какая Сусанна? — подумала Пупель. — О чем он?»

— У меня голова болит, — соврала она.

— Надо красного вина заказать, все как рукой снимет, — Марк старался, проявлял внимание.

— Закажи, — Пупель не стала сопротивляться.

— Ты и не ешь, что — совсем хреново?

Пупель стало себя жалко. Она надула губы, хлюпнула носом и пробормотала:

— Угу.

Принесли красного вина. Пупель залпом выпила бокал.

— Ну, ты даешь! — Марк просто остолбенел. — Я хотел за нас выпить.

— Выпей.

— Что же я один за нас буду пить?

— А почему нет?

— Я не понимаю, что происходит?

Внезапно у Пупель возникла мысль встать, сказать спасибо за все, прощай, никогда мне больше не звони, все это пустое, я не люблю тебя, мне с тобой неинтересно, зачем тратить время и тянуть эту бесконечную жвачку. Она уже собралась раскрыть рот и выплеснуть всю эту тираду, в этот самый момент Марк встал и направился к музыкантам.

Неужели? Пупель внимательно следила за ним. Неужели он попросит их заткнуться? Она видела, как Марк дает деньги певцу, чтобы они не пели этой гадости. Неужели он проникся? Как это благородно! У Пупель потеплело на душе. «Все-таки я к нему несправедлива, он понимает. Сказала «голова болит», и он, несмотря на свою скупость, пошел, заплатил, чтобы девушке было хорошо и приятно».

Певец прервал песню про аргонавтов.

Пупель благодарными глазами смотрела на возвращающегося Марка.

Марк подошел к столику и, самодовольно улыбаясь, изрек:

— Я заказал для тебя песню, пошли.

— Куда? — Пупель просто остолбенела.

— Танцевать.

В это время музыканты чудовищно грянули. Певец заверещал:

— Ах, какая женщина, мне бы такую...

Приступ бешеной ярости охватил Пупель. Она буквально выпрыгнула из-за стола, вцепилась в Марка и начала выкручивать ногами кренделя, приговаривая:

— Так, так? Тебе такую женщину?!

Это был какой-то чудовищный, глупейший танец. Публика в ресторане перестала есть и пить. Все уставились на них.

Пупель кричала:

— Тебе бы такую!? Ах, какая женщина!!! — дергалась всеми частями тела, вцепившись в Марка.

Она его вела в безумном танце, бешено крутила шеей, трясла грудью, наваливалась. Марк улыбался. Он улыбался и ничего не просекал. Они встречались несколько лет, и он ничего не просекал. Он думал, что так и надо. Войдя в раж, Пупель навалилась на него всем телом, и они упали на пол. Марк на спину, а она на него.

Публика зааплодировала. Музыка громыхала. Марк барахтался, пытаясь приподняться. Пупель слезла с него и направилась к выходу.

«Я, кажется, пропустил самое интересное», — прямо из ниоткуда раздался голос Устюга. — Куда бежишь?»

— Писать! — выкрикнула Пупель. — Я — пописать, сейчас приду.

Марк кивал. Он уже поднялся и шел к столику.

Пупель забежала в туалет. Она сама удивилась, как быстро у нее поднялось настроение. Он здесь, он нашелся, теперь все хорошо. Все ей виделось в другом — мягком и теплом свете. Писать не хотелось, уловка с выходом удалась.

Она вымыла руки и посмотрела на себя в зеркало. Волосы растрепанные, кофточка сползла с плеч. Вид абсолютно неприличный. Она пригладила волосы, это плохо получилось, поправила кофточку, тут все прошло нормально, подтянула колготки под брюками, все хорошо.

Спокойная и умиротворенная вышла Пупель в зал ресторана. Музыканты как будто дожидались ее и заиграли песню про аргонавтов во второй раз. Пупель недоуменно покосилась на них, потом, повернувшись, увидела танцующую немолодую пару.

«Не думал, что эта тема так популярна», — это был голос Устюга.

— Я тоже так не думала до сегодняшнего дня, — Пупель ответила и хихикнула.

Странно, но песня ее уже не раздражала. Она пошла к столику.

— Ну как ты? — Марк заказал еще вина. На столе стояли бокалы и яблоки.

— Прекрасно.

— Вот видишь, музыка, танец, ты, кстати, не ушиблась?

— Нет, я же на тебя упала, ты выступил в роли амортизирующей подушки.

— Какая ты веселая бываешь, Пупа, просто жуть, я фруктиков заказал.

Пупель улыбалась и мурлыкала, подпевая сладкоголосому певцу:

— Аргооооо, нуны, нуны, ну ны ны ну ну ну ну нынны...

— Куда ты пропадал? — завела она беседу с Устюгом.

«По делам, я же просил тебя стоять под навесом».

— Я и стояла, думая, что ты тоже там.

«Так все неудачно получилось, я рассчитывал на другое, обидно».

— А если в двух словах, так по-быстренькому, чтобы удовлетворить мое звериное любопытство?

«В двух словах никак не получится, это длинная история».

— Ты мне ее расскажешь?

«Она тебе, в общем-то, знакома».

— Опять говоришь загадками?

«Предполагалась одна встреча, как я мог его упустить, и на старуху бывает проруха».

— Прости, я ничего не понимаю.

«Ну, совершил ошибку, все шло, шло, а потом я его упустил, а ты ринулась в такси, и вот результат».

— Кого ты упустил?

«Ты должна была стоять под навесом».

— Я тут сижу, как видишь, и претерпеваю.

«Хорошее слово».

— Слово хорошее, а му́ка-то какая?

«Это разве му́ка?»

Пупель никак не могла понять, как у нее стало получаться. С одной стороны, она общалась с Устюгом, и в то же время они с Марком пили вино, и она даже что-то мычала ему, грызя яблоко. Марк был доволен. Все складывалось наилучшим образом.

— Как это все у меня стало так складно получаться? — спросила она у Устюга.

«Ко всему привыкаешь».

— Как выясняется, не ко всему.

«Некоторые вещи остаются непостижимы, к ним невозможно привыкнуть».

— Это ты о чем?

«Да так».

— Мне так тоскливо стало. Ты пропал. Такое нахлынуло одиночество.

«С поклонником в ресторане?»

— Именно. Я просто места себе не находила. Мне хотелось сказать: что же это такое? Что это? Мне хотелось закричать, так не надо, что вы, в самом деле, прекратите, мне хотелось... Я даже не могу сказать, чего мне хотелось. Хотелось убежать, зарыться куда-нибудь, мне было так тягостно, как тогда, когда мы с тобой встретились в моем сне и я еще не знала тебя. Мне так жутко там было. Это поле, снежок этот колючий, река. Мысли о крестьянине мучили меня.

«Вот я же и говорил тебе: стой под навесом».

— И что бы случилось?

«То, что должно случиться».

— Ты знаешь, что должно случиться, и молчишь.

«Я не молчу, я все время разговариваю, увожу тебя из твоих мрачных фантазий».

— Ты сам — моя мрачная фантазия.

«Жил, жил на свете, между прочим, немало всяких хороших дел понатворил, кое-кому даже очень помог и не подозревал, что я — твоя фантазия. Я не крестьянин, не всякая твоя тоскливая глупость. Я Великий Устюг — пришелец с древней и могучей планеты, страны воплощения грез и путешественников, страны сталкеров, проводников и сопровождающих. Я притащился в такую даль и захотел тебе помочь, так радоваться надо, скакать, прыгать и веселиться. А ты все ноешь и гнусишь. Между прочим, вся твоя тоска и грусть гроша ломаного не стоит, ты сама себе все устроила, не умеешь общаться, не умеешь саночки во-

зить, а рыбку любишь кушать. Ты пойми, малют-
ка Пупель, жизнь пройти — не море перепахать,
это тебе не соленые огурцы сахаром посыпать,
это тебе не кротов в ушах ковырять, не пчел зуба-
стых дразнить. Захотела — сделала, чего пургу-то
разметать, чего в нору лезть?»

Пупель с изумлением и открытым ртом слушала. Она смогла произнести только:

— Что теперь?

«Ты сама знаешь, кто не пьет борд-жоми, тот не
видит красного куста или как там, кто не рисует,
тот не получает необходимое количество. А потом
не ной, что без пузырьков, не коси под дурочку, не
ставь себя куликом в собачьей конуре, не жужжи
ласточкой. Что ты сделала? Практически ничего,
надо чуток взять себя в руки и оп-ля! по-другому
зазвонить. Ну не подходит тебе этот Марк, так и
хрен с ним, нечего разгуливать по «Кувшинчи-
кам», тут вот песенки поют про аргонавтов, а ты
про аргонавтов не любишь, тебя от этого воротит,
тебе чего-нибудь другого подавай. А, между прочим, у них, у аргонавтов, такие дела были, тебе в
твоем самом псевдоумном сне не приснится, крестьянин твой просто тьфу по сравнению с их делами. Я-то это знаю не понаслышке. Там все реально было. Поехали, перебили всех, перекромсали,
кровь, власть, обман, жажда жизни, фиаско.
А она — пусть этот нелюбимый Марк пойдет и за-
ткнет пасть певцу, чтобы он не пел песен, мне не-
угодных, ах какой этот Марк плохой, нечуткий.
Плохой — уходи, беги прочь, хотя я лично в нем
ничего крамольного не вижу. Ты говоришь, он зануда, жадина. А кто не зануда? А кто не жадина?
А кто не жопа? Только святой. Тебе святости по

статусу не положено. Не заслужила ты святости. Тебе уже предлагали хорошего, талантливого, ты фу сказала».

— Я ошиблась, что же теперь делать? И ничего нельзя исправить? Теперь до конца жизни это чувство вины будет со мной, так, что ли?

«Почему? Во-первых, тебя никто не обвиняет. Ты уже сама себя истерзала, сама затюкала, тебе плохо, тебе муторно и в связи с этим тебе хочется обличать, ты-де такая утонченная натура, такая особа до чертиков чувствительная, такая нежная фиалка, которую топчут грязные кирзовые сапоги. Во-вторых, что сидишь-то? Ждешь, пока кто-нибудь к тебе прискочит на таком розовом единороге и скажет: "ГУЛУБО КА УВАжаемая Пупель, не соизволите ли вы дать мне свои нетленки, дабы мы их издали на парчовой бумаге с золотым обрезом, дабы народ ваш смог прочитать, прослезиться и проникнуться вашим тонким чуйством". Так, что ли?»

Пупель сидела, раскрыв рот. Она совершенно ошалела от тирады Устюга.

Мысли стадами проносились у нее в голове. «Он все знает в деталях, он все с самого начала знал, он все понял, он может помочь, я не права, я не так все поняла, я никак ничего не могу понять, я абсолютно ничего не понимаю, я действительно должна в кои-то веки, я буду надеяться, нет, я попробую, я, я изо всех сил, блин, что же, и надо сразу и окончательно, надо строже к себе».

После этого сумбура она, наконец, сформулировала вопрос:

— Ты, правда, хочешь мне помочь?

Ответа не последовало.

История Пупель

Наступила жаркая пора — лето. В мастерской Севашко подготовка шла полным ходом. Севашко давал последние напутствия ученикам:

— Экзамены, ядрена вошь, — вот и наступил ваш час. Вы должны все до одного показать блестящие результаты в линейном и тональном академическом рисунке. Все как один должны экзаменационные постановки отрисовать на самую лучшую оценку. На тройку. Больше тройки никто в нашем высшем художественном заведении не ставит, это реальная политика, нарисуй вы хоть шедевр, хоть супершедевр — не поставят. Принципы высшего художественного заведения таковы: получил тройку, значит, рисовать можешь, есть возможность тебя дальше учить. Это теоретические принципы. На самом деле существуют реальные жизненные принципы, заключающиеся в системе уравнивания. Система уравнивания существует для того, ядрена вошь, долго вам это все объяснять и себе нервы трепать. В общем, это все делается, чтобы легче им жилось, свиньям. Ну да ладно, я надеюсь, смотрите у меня, чтобы все по своей тройке получили, зря, что ли, я вас тут вздрючивал до смерти, зря, что ли, карандаши тупили и бумагу марали. Не ссать на экзаменах. Пришел, получил лист со штампом, приколол его на планшет, сразу натурщика в листе поставил, отштриховал и делу конец.

Пупель и Максик выбрали себе факультеты. Пупель решила поступать на обивку для стульев, а Максик — на утюги. И хотя Платон уговаривал его поступать на бежевую-гризальную живопись, Максик рисковать не хотел.

Он уволился из почтового ящика и подал документы на утюги.

Экзамены потекли, помчались. После каждого экзамена ученики обязаны были появляться в мастерской у Севашко и давать подробный отчет о проделанной работе. Так как отчет должен был быть абсолютно объективный, Севашко назначал контролирующих. Он разбил свою огромную группу по парам. Каждый в паре должен был осуществлять надзор друг за другом и потом докладывать Севашко все как на духу. Естественно, Пупель была в паре с Максиком, кто бы мог сомневаться в этом. Они всегда были вместе. Максик несколько раз заглядывал в аудиторию, где рисовала Пупель, давал советы.

— У меня все нормально, — говорил он ей, — можешь не ходить, не отвлекаться, рисуй.

Но Пупель все-таки один раз пришла к нему. Она зашла в огромный зал, где разместились абитуриенты утюгов. Это был самый большой зал в высшем художественном заведении. Оглядев зал, Пупель без труда нашла рисунок Максика. Это был самый лучший лист. Фигура натурщика Осланько, пожилого коренастого дядьки смотрелась как живая, моделировка была такая, что дух захватывало, сходство — чума. Другого Пупель и не ожидала. В мастерской у Платона они несколько раз рисовали Осланько. Максик рисовал его блестяще, но на экзаменах он превзошел самого себя. Абитура с уважением смотрела на него, он давал советы и даже подрисовывал на чужих рисунках, кому ногу, кому руку, делая это быстро, просто и без всякого гонора.

После экзамена Пупель восторженно рассказала Севашко об удивительном рисунке Максика.

— Добре, добре, — говорил Платон, — крепкий мужик, молодца. — Затем, обратившись к Максику, с пристрастием спросил: — А Пупка-то наша, как? Без завихрений ведет дело? Ослика никакого не пририсовала случаем или еще погань какую?

Максик заверил, что все в порядке, очень даже и всякое такое.

— Тоже добре, молодец, Пупка, горжусь.

Севашко был доволен. Все складывалось отлично. Пупель с Максиком преодолевали экзамен за экзаменом. И наконец добрались до самого конца. Наступил день, когда в высшем художественном заведении были вывешены списки счастливчиков. Вся многочисленная группа Севашко была в числе поступивших, ай да Платон, ай да молодца, крепкий мужик, добре, добре!!!

Лето жаркое пришло, свет и радость принесло. Лето жаркое — краски яркие. Деревья зеленые — молодые влюбленные. Пчелы звенят — глаза горят, уста слова нежны говорят.

Счастливые Пупель и Максик явились в мастерскую Севашко с огромным букетом пионов. Он был доволен. Улыбался. Пупель произнесла благодарственную речь, а в конце добавила, что считает Платона их посаженым отцом, у него они встретились, и всякие другие сентиментальные вещи.

— Заходите, всегда вам рад, молодцы. Так, так, так, добре. — Севашко уже составлял план занятий на следующий год.

Летом дни долги, а ночи ясны. Ночью звезды быстро гаснут.

Восходяще солнце красно. Лето — рыжая кобылка скачет по дороге пылко,

машет гривой из цветов и прозрачных мотыльков, и прохладных ручейков,

и веселых пикников, и румяных шашлыков, на поляне грибников, меж деревьев гамаков, на террасе завтраков, у колонки черпаков, и на зорьке петухов, и на Волге бурлаков.

Пупель и Максик строили радужные планы, как теперь наконец-то, и все самое хорошее. Но тут внезапно Максик получает повестку в военкомат. Он туда приходит и говорит, что поступил в высшее художественное заведение и ему вроде бы полагается отсрочка. Но оказывается, что отсрочка ему абсолютно не полагается, и что у него уже она была, пока он работал в почтовом ящике, и сколько можно, и кто тогда будет служить в армии, если всем отсрочки выдавать, и всякое такое.

И бедный Максик, абсолютно подавленный, приходит к Пупель и рассказывает ей всю эту историю. И Пупель заливается совершенно горючими слезами. Но Максик, он очень мужественно говорит, что ничего, что делать нечего, что придется выполнить свой долг и всякие такие вещи, и он говорит, что два года пролетят, как птицы. И он совершенно не показывает ей своего расстройства, чтобы она не так сильно переживала, и он говорит ей: «Прорвемся, Пупа, я с победой вернусь домой, а дальше уже все как по маслу пойдет, дальше уже все будет как в сказке долго и счастливо и в один день, но только это очень не скоро будет».

И всякое он ей говорит, а сам, конечно, в диком ужасе, и, конечно, он думает, почему жизнь так не-

справедлива, и вот, казалось бы, все у него получилось, и жить бы да радоваться, да любимым делом заниматься, и многие ведь так и живут, а у него все через жопу. А Пупель хотя и выросла в вате, но некоторые вещи все-таки понимала, так вот она поняла всю неизбежность его ухода, потому что Максик такой и некому за него заступиться, и до завтра они точно не успеют двух детей родить, и куда он в этой армии попадет, абсолютно никто не знает.

И вот она это все прокручивает у себя в голове, а время тогда было такое беспокойное, то одно, то другое, и она думает: «Господи, а вдруг его туда пошлют? А то и убьют, ведь это просто страх кошмарный!» И она, глядя на Максика, на этого огромного ее Максика, понимает, что его точно туда могут отправить, потому что на вид он настоящий Аника-воин, и никто ведь не знает, что он мухи не обидит, и даже комара толком прибить не может. И ведь никому в голову не может прийти, что Максик стихи любит, что он такой художник великий, и всякое.

И все это происходит моментально, сегодня он приходит с этим чудовищным сообщением и буквально на днях уже должен прибыть в военкомат, и все. И на ранней заре она едет провожать Максика. И день такой жаркий должен быть, потому что уже с утра душно. И они стоят в этой толпе посторонних людей и толком ничего сказать не могут. И, как в кино, они расстаются, и Пупель вся ну просто никакая, и уже жара чудовищная, пыль и ать-два левой.

Ну, проходите, присаживайтесь. Кажется, Вы — Одиночество? Вы извините, пожалуйста, как Ваше Имя и Отчество? Лучше без всяких формальностей? Может, чайку? Не желаете? Поговорим о реальности — как Вы ее представляете?

Что, Вы и кушать не станете? Нет, и не надо, конечно. Здесь-то надолго останетесь? Что Вы сказали? Навечно???

Глава 4

Когда планета Меркурий двигается
по небосводу в своем обычном —
прямом направлении, —
нам встречаются люди,
которые помогают обрести
совершенно новый жизненный опыт,
не похожий на все, что мы
переживали раньше.

Пупель спала. Во сне она думала: «Хорошо тут у меня во сне. Солнышко!» В ее сне проехал велосипедист по терракотовой дорожке вдоль озера. Он помахал ей рукой и въехал в озеро, так плавно, без всплесков. «Мастерский въезд, — подумала Пупель во сне. — Долго надо тренироваться, чтобы вот так плавно въезжать в озеро».

Велосипедист выехал из озера на другом берегу, встряхнулся, как пес, и дальше покатил. «Ну, ладно, плавно въезжать — это еще куда ни шло, а вот так выезжать и чтобы как с гуся вода, это вообще феноменально», — думала Пупель во сне, открыв рот. Велосипедист уже давно укатил, а Пупель все смотрела на озеро. Рядом с рваными клочками газет плавали утки. Две утки подплыли к берегу, и Пупель ясно услышала, как одна утка сказала другой:

— Ну, как тебе это всё?

Другая утка посмотрела на вопрошавшую и, пожав плечами, ответила:

— А чего ты хотела, он парень не промах.

Пупель во сне выпучила глаза: «Ничего себе! Утки думают прямо как я, кто бы мог предположить?!» Утиный диалог продолжался. Вторая утка, которая первая задала вопрос, сказала:

— Конечно, не промах. Значительная часть их претензий была отсеяна уже в ходе подготовки к слушаниям. Специалисты в области интеллектуальной собственности также полагают, что им будет сложно доказать факт нарушения авторских прав. По их мнению, доказать факт воровства идеи достаточно сложно, так как в этом случае речь о плагиате в прямом смысле этого слова не идет.

Вторая утка кивнула.

— Конечно, — сказала она. — Это и коню ясно, что авторское право не распространяется на идеи. Это и червю не надо объяснять. Если у тебя нет чего-то вроде патента или торговой марки, у тебя нет и монополии.

Первая утка явно была согласна со второй. Она сделала несколько гребков от берега и произнесла:

— Если кто-то подхватывает чужую идею, так как находит ее верной, это не может считаться нарушением авторских прав. Если бы устанавливались права на идеи, это сделало бы творческий процесс чудовищно сложным. А он молодец, а тот-то сколько разорялся.

Вторая утка качала головой.

— Ты имеешь в виду кардинала, архиепископа генуэзского?

— Ну да. Он прямо ринулся в бой, заявив, что книга представляет собой целенаправленную попытку дискредитировать Римско-католическую церковь с помощью абсурдных и притянутых искажений. Вроде бы книга напоминает ему что-то, ну, вроде антиклерикальных памфлетов девятнадцатого века.

Утки быстро поплыли от берега, ни на минуту не прерывая свою беседу. Пупель уже практически не слышала их разговора, последнее, что донеслось до нее, были слова первой утки:

— Сомнительно, что он бы женился на Марии Магдалине, весьма спорно, и тут этот генуэзский прав, а результат — восемнадцать миллионов экземпляров на сорока четырех языках, а ты говоришь, купаться. Он до сих пор еще входит в первую десятку бестселлеров.

Утки уже плавали далеко от берега, рассматривая обрывки газет, и не замолкая, крякали. В своем сне Пупель смотрела на них и думала: «Как интересно! Так вот они какие — настоящие газетные утки. Кто бы мог подумать?»

Телефон звонил не переставая. Пупель открыла глаза, вскочила, схватила трубку.

— Ничего себе! — раздался голос из трубки. Он был удивительно похож на голос первой газетной утки.

— Кто это? — настороженно спросила Пупель.

— Ну, ты даешь! Ты, вообще, что себе думаешь? — Магда явно была недовольна и раздражена.

— Магда, ты, что ли?

— Что ли, что происходит?

— Ой, столько всего, прямо не знаю, с чего начинать.

— Я вчера по мобиле поговорила, перезваниваю, тебя уже след простыл, сижу в непонятках, изредка набираю, понимаю, что бесполезно, думаю, к Марку потащилась, думаю, ладно, попозже позвоню в мастерскую, перезваниваю совсем попозже в мастерскую. Он мне что-то мычит, что ты типа не в себе, кризис, ни с того ни сего, буровит что-то нечленораздельное, а вывод — абсурд бредовый. Я, видите ли, должна поговорить с тобой, какую-то работу провести, кошмар какой-то. Что случилось?

— Мы с Марком вчера расстались навсегда.

— Это хорошо. Это как раз очень хорошо. Это ты молодец, поздравляю.

— Ты серьезно?

— Абсолютно, как можно было общаться с таким невыносимым занудой, да еще так долго, к тому же вчера я это четко поняла, он тебя отвлекал от главного.

— А что же ты раньше-то молчала?

— Раньше я намекала, а вчера все встало на свои места.

— Что-то я не припоминаю.

— Я так вскользь, я не до конца осознавая, но теперь, слава богу... Я надеюсь, ты не передумаешь? Этот звонок, на мобильный...

— Какой звонок?

— Тебе вчера на мобильный никто не звонил?

— Не помню, кто-то, может, и звонил. А что?

— Необычного звонка не было?

— Вчера мне только необычного звонка не хватало для полного счастья.

Магда хмыкнула.

— Ладно, — сказала она, — я сейчас по делам, а потом к тебе. Никуда не уходи. К телефону не подходи. Я тебя знаю, этот позвонит, ты простишь, или помиришься, или еще как-нибудь, а нам сейчас этого не нужно. Нам сейчас абсолютно другое нужно, дело надо делать, а не слюни пускать. Жди меня, и пусть не скоро, но я обязательно вернусь, — выговорив эту тираду, она повесила трубку.

Магда шла по важному делу. Неделю назад, ничего не сказав Пупель, она посетила редакцию очень известного издательства, одного из самых крупных московских издательств. Магда предварительно позвонила одной своей знакомой, с которой она имела дела во времена своей риелторской деятельности, и попросила совет. Вопрос такой, вроде того, куда бы можно было снести рукопись одного очень интересного и совершенно пока неизвестного писателя, который по ее, Магдиному, мнению заслуживает широкой печати.

Знакомая Магды долго хмыкала, листала записную книжку, водила курсором мобильного телефона и, наконец, откопала телефончик одного редактора, как раз из этого крупного издательства. Магда позвонила по телефончику редактору Людмиле Севастьяновне и попросила ее о встрече на предмет одного дела.

Людмила Севастьяновна сразу поинтересовалась, по какому вопросу, и, услыхав, что по поводу рукописи, сразу сказала: «Навряд ли».

Магда не сдавалась. Она начала задавать неудобные вопросы, типа, вы, что же, совсем не печатаете новых авторов, и всякие такие вещи, вроде того, что нужна же свежая кровь и всякое в таком роде, вот вы сразу с ходу говорите «навряд ли», даже не подозревая, а иногда случаются такие вещи и потом люди локти себе грызут... И в общем, Людмила Севастьяновна назначила ей день и час.

Магда день в день, час в час и минута в минуту была в издательстве. Это действительно было крупное издательство. Крупность его бросалась в глаза сразу. Это было огромное-преогромное издательство с длинными-предлинными коридорами, с пластиковыми-припластиковыми карточками на входе, с шикарными зеркальными-призеркальными лифтами.

Людмила Севастьяновна сидела в просторном кабинете, уставленном книжными полками, битком забитыми книгами. Она понравилась Магде. Доброе интеллигентное лицо, серые понимающе-опытные глаза.

Магда представилась. Людмила Севастьяновна жестом предложила сесть. Все вроде бы начиналось очень хорошо.

— Я вас слушаю, — сказала Людмила Севастьяновна.

Магда протянула рукопись.

— Что это? — поинтересовалась Людмила Севастьяновна.

— Это рассказы... — начала Магда.

— Ваши?

— Нет, это рассказы моей подруги.

— Видите ли, Магда, я не занимаюсь прозой, — размеренно и спокойно произнесла Людмила Севастьяновна.

— А чем вы занимаетесь?

— Поэзией.

— Там и стихи есть, посмотрите... — принялась настаивать Магда.

— Очень хорошо, — спокойно отбила натиск Людмила Севастьяновна. — Только я этим не занимаюсь. Мы печатаем разнообразную литературу поэтического жанра. — Людмила Севастьяновна подошла к книжному шкафу, подозвала Магду. — Вот подойдите, посмотрите.

Магда приблизилась к полкам: Фет, Цой, «Блатные песни», «Стихи о кулинарии», Блок, «Лютик — цветок луговой», Пушкин, «Журки — мурки», Пасхальные стихи, «Зебрец», «Стихи о Родине», Ахматова, «Классный выебон», «У природы нет и не будет», «Загарики», Мандельштам.

— У нас очень широкий охват, но только поэзия.

— Простите, а к кому тогда мне обратиться? — поинтересовалась Магда.

— Какого плана рассказы?

— Рассказы интересные, из жизни художников. Вообще, они о разном, но, видите ли, очень живой язык, истории смешные и грустные.

— Боюсь, навряд ли, — вежливо сказала Севастьяновна. — У нас проза, в основном детективы, или такие о любви, и лучше, конечно, чтобы автор уже был известен читателю.

— Простите, известным ведь, как мне кажется, становятся после издания, или я чего-то не понимаю?

Людмила Севастьяновна грустно улыбнулась.

— Вы абсолютно правы, — сказала она. — Но существуют определенные условия, направленность и, так сказать, рынок сбыта готовой продукции.

Магда внимательно посмотрела на нее.

— У нашего издательства основной рынок сбыта — Краснодарский край. А там, сами понимаете, не очень интересуются веселыми и грустными рассказами из жизни художников. По большому счету, сейчас никто вообще не интересуется рассказами из жизни художников. Сейчас другие прерогативы.

— Что вы говорите? — удивилась Магда.

— Вот если бы это были не рассказы, а, так сказать, романы, объемом десять — двадцать авторских листов. Конечно, опять же ни о каких художниках речи тоже быть не может. Так вот, если бы это были романы, ну скажем, о женской доле, с хорошим концом или просто в меру смешные детективы и ваша подруга, к тому же, согласилась бы подписать договор с нашим издательством на поставку их так раз в полгода, тогда еще можно было бы о чем-то говорить.

— Но ведь романы не пироги, как можно заключать договоры о поставке раз в полгода романов о женской доле? — задала наивный вопрос Магда.

Людмила Севастьяновна опять грустно улыбнулась.

— Видите ли, Магда, — произнесла она, — я поэзией занимаюсь, это совсем другое дело, мне трудно что-то комментировать, редактор отдела прозы, ну, в общем, у нас совершенно нет контакта.

— А что делать? — задала классический вопрос Магда.

— Я же вам сразу все озвучила, — спокойно проговорила Людмила Севастьяновна.

Магда с надеждой посмотрела на нее.

— А может, все-таки в виде исключения? Может, попробовать? Рассказы очень хорошие, я это говорю не потому, что она моя подруга. Я слежу за современным литературным процессом, мне кажется...

— Был один случай, — задумчиво произнесла Людмила Севастьяновна, — но, конечно, не в нашем издательстве. Одна женщина отнесла свою рукопись в одно небольшое издательство, и рукопись приняли. Помню такой случай...

— А в какое издательство отнесла эта женщина свою рукопись? — заинтересованно спросила Магда.

— В маленькое. В какое-то небольшое интеллектуальное издательство.

Магда с надеждой посмотрела на Севастьяновну.

— Вы не могли бы случайно припомнить название?

— Нет, не помню.

— С чего же начать? — задала второй классический вопрос Магда.

— Ну, есть же маленькие издательства, попробуйте, чем черт не шутит.

Тут Магда решила немного надавить, чтобы хоть что-нибудь... Она с улыбкой взглянула прямо в серые спокойные глаза Людмилы Севастьяновны и произнесла:

— Вы, я знаю, очень опытный специалист, не один год занимаетесь издательским делом. Не порекомендуете ли вы какое-нибудь маленькое интеллектуальное издательство, куда я бы могла обратиться, может, просто, хотя бы на худой конец дадите название или какую-нибудь зацепку?

— Я плохо знакома с маленькими издательствами, — с ответной улыбкой отпарировала Людмила Севастьяновна. — Я в большом работаю.

— Но, может, где-то краем уха, работая в большом, вы слышали о каком-то маленьком? — не сдавалась Магда.

Людмила Севастьяновна явно устала от всех этих бесперспективных разговоров, время шло к обеду. Она посмотрела на часы, потом на Магду, потом подняла глаза к потолку, что-то пробурчала и, наконец, вставая из-за стола, произнесла с достоинством:

— Идите в «Ад».

От неожиданности Магда вскочила со стула.

— У нас сейчас совещание, — как ни в чем не бывало, проговорила Людмила Севастьяновна. — Это на «Павелецкой». Недалеко от метро книжный магазинчик «Данте & компания», а в подвале — издательство «Ад». Серьезное интеллектуальное издательство, попробуйте.

Магда выдохнула с облегчением. Поблагодарив любезную Людмилу Севастьяновну, побежала по длинному-предлинному коридору, вскочила в зеркальный-призеркальный лифт, вернула пластиковую-припластиковую карточку вежливому охраннику и пулей вылетела из большого издательства.

«Поеду прямо в «Ад», — решила она. — Нечего им названивать. Пока телефон найду, пока дозвонюсь, пока то-сё, по какому вопросу, вся жизнь может пройти. Надо бежать по горячим следам». Разговор с Людмилой Севастьяновной навел ее на некоторые размышления, она кое-что уловила из этого сумбурного лепета. «Хорошо, что я сначала попала в это большое издательство, — думала Магда. — Теперь в «Аду» или в «Аде», неизвестно как в этом случае ставится ударение, но суть от этого не меняется, так вот теперь, по крайней мере, я знаю, что надо говорить, теперь, во всяком случае, я не буду выглядеть полной идиоткой, теперь я не попаду впросак». С этими мыслями Магда быстро добралась до «Павелецкой».

Она немного побродила по переулкам и довольно быстро увидела тот самый магазинчик с большой вывеской «Данте & компания».

Магда спустилась в подвал, там рабочие разгружали стопки книг. Магда поинтересовалась, где издательство.

— Наверх, через магазин, — направил ее рабочий.

Магда смотрела на количества разгружаемой продукции, сердце ее радовалось и пело. «Много печатают, — думала она, — это хорошо, издательство маленькое, а печатают не по-детски, это очень хорошо».

Она зашла в магазин. Маленькая лавочка, заставленная книгами, такая симпатичная лавочка с колокольчиком у входа, на его звук выглянула милая молодая румяная девушка

— Чем я могу помочь? — спросила милая девушка.

Магда улыбнулась ей.

— А редакция «Ад» где?

— Вот в эту дверку, — очень мило произнесла девушка.

— Простите, а главный редактор?

— Антон Палыч здесь.

«Надо же, как приятно, и имя такое до ужаса приятное», — подумала Магда. Она постучалась и зашла в комнатку.

На диване сидели и покуривали два человека. Один очень молодой, высокий, бритый наголо, загорелый мачо в белой майке. Другой постарше — кудлатый, бородатый, бледновато-обрюзгший, в грязно-сером пиджаке.

— Простите, — произнесла Магда, — мне к Антону Павловичу.

Высокий молодой человек поднялся с дивана и приятно улыбнулся, дескать, я весь ваш.

Магда представилась.

— Присаживайтесь, — пропел Антон Павлович, — это наш критик Иван Сергеевич.

«Тоже очень хорошо», — отметила про себя Магда.

— Что вас привело к нам? — поинтересовался Иван Сергеевич.

Антон Павлович мило улыбался широкой белозубой улыбкой.

— Видите ли, я принесла вам рукопись.

— Сами написали? — спросил Антон Павлович.

— Нет, это моя подруга сотворила.

— А вы, значит, принесли? — задал милый вопрос Иван Сергеевич.

— Да, я решила вам принести.

— А почему к нам? — блеснул зубами Антон Павлович.

Этого вопроса Магда ждала. Она тоже мило улыбнулась и произнесла речь, заготовленную по дороге из большого издательства:

— Я, — сказала она, — принесла ее к вам, так как рукопись очень интеллектуальная и особенная. Не понесу же я такую рукопись в большое издательство, всем известно, что у них вся продукция идет на Краснодарский край. Текст совершенно не для этого края, хотя я лично ничего не имею против Краснодарского края, просто, мне кажется, для каждой вещи должно быть свое издательство.

Антон Павлович и Иван Сергеевич мило улыбнулись.

— О чем? — спросил Антон Павлович.

— Это рассказы...

Редактор и критик сделали милые улыбки более приземленными и вялыми.

— ...о жизни московской богемы...

Улыбки наладились.

— ...о всяких московских художниках-маргиналах.

Улыбки засияли.

— Присутствует ли в рассказах элемент сатанизма или мистического интеллектуализма? — поинтересовался Антон Павлович.

— Мне кажется, что-то такое имеется в наличии. Насчет сатанизма затрудняюсь, а мистического интеллектуализма просто пруд-пруди. Просто сплошь и рядом.

— Это хорошо, — резюмировал Антон Павлович. — Разрешите взглянуть, — ослепительная улыбка.

Магда достала из сумочки аккуратный пластиковый пакетик с кнопочкой.

— Пожалуйста, — предложила на выбор, не зная кому.

Антон Павлович небрежно взял пакетик, дернул кнопочку, вытащил рукопись.

— Откуда про наше издательство узнали? — задал неудобный вопрос Иван Сергеевич, с аппетитом затянувшись сигареткой.

Магду такие вопросы никогда не заставали врасплох, столько лет в риелторском деле.

— Кто же в Москве не знает интеллектуальное издательство «Ад»? — пропела она.

— Вы правы, мы небольшое издательство, но довольно-таки...

— Вот и я об этом... — продолжала щебетать и убаюкивать Магда.

— Вы нам это оставите? — спросил Антон Павлович.

— Да, да, конечно.

— Надо ознакомиться, текст похож на этого, как его, ну вы знаете, о ком я. Эльза...

— Триоле? — подсказала Магда.

— Да, нет... Мужик такой статейки писал, прикольные в таком...

«Это он о Поваркине говорит, — подумала Магда, — это очень хорошо. Поваркин — замечательный журналист, это очень лестное сравнение».

— Не знаю, кого вы имеете в виду, — проговорила Магда. — Мне кажется, текст очень оригинальный.

— Посмотрим, почитаем.

— Когда мне к вам зайти? — мило улыбнулась Магда.

— Приходите через недельку, — проговорил Антон Павлович. — Мы тут с Иваном Сергеевичем почитаем и вам потом... Да-да, через недельку, чтобы уже точно.

Иван Сергеевич кивал своей интеллектуальной кудлатой головой — за недельку, думаю, управимся.

Магда распрощалась с Антоном Павловичем и Иваном Сергеевичем и очень довольная вышла из издательства.

Она рассуждала так: «Боже мой! Сатанизм, интеллектуальный мистицизм!!! Вот он сразу открыл рукопись, и ему понравился текст, а сколько там смешного и всякого! Напрочь забудет о всех этих экзистенциализмах, зачитается. Вот напечатают они рассказы, а потом все вместе радоваться будем. Мы с Пупой будем радоваться успеху, а Антон Павлович с Иваном Сергеевич будут радоваться, что открыли такого нового, чудесного, доселе неизвестного, но милого и доброго и очень интересного автора. Конечно, Пупели ничего пока не надо говорить. Вот примут рукопись к изданию, дойдет дело до договора с автором, тогда и скажу, а сейчас пока рано, сейчас пусть не парится».

В общем, из «Ада» она выпорхнула вся окрыленная.

История Пупель

Здравствуй, моя самая, самая любимая Пупа!

Как ты живешь, стрекоза? У меня вот выдалась свободная минута, и я хочу с тобой поболтать. О чем? Да неужели два умных симпатичных человека не найдут о чем поговорить? И потом, почему обязательно говорить о чем- то? Ведь мы с тобой можем и так просто почирикать. Пупочка, извини, но это письмо не будет исполнено глубокого смысла. Просто армия — не то место, где события сменяют друг друга с бешеной скоростью, так что, сама понимаешь, — особенных новостей нет (особенных, значит, никаких). И если бы я писал письмо не тебе, а другому человеку, то обязательно написал бы так: «Писать, в общем, не о чем».

Но ты у меня совсем другое дело, и я всегда найду, о чем тебе написать. И ты будешь читать мое пространно-лирическое письмо (интересно, где оно будет прочитано: дома, или в аудитории, насыщенной парами начертательной геометрии, или на лекции по истории искусств?).

А у нас похолодало, и ветры очень сильные, и форменные воротнички беспрестанно хлопают по нашим затылкам и ушам или просто стоят абсолютно вертикально, вследствие чего вид у нас довольно диковинный. Служба идет своим чередом, и уже сентябрь на исходе. Вообще, у меня здесь такое чувство, что время — это единственное, что пока еще движется. Мы не ходим в яростные штыковые атаки, не топим вражеские эсминцы, а просто день за днем тащим свою службу, потому что так надо, потому что не отпала необходимость в армии и этим надо кому-то заниматься. И когда человеку становится тяжело (так уж мы устроены), он вспоминает самое хорошее в своей жизни.

А для меня все самое хорошее связано с тобой. А поскольку военная служба не мед, то вспоминаю я тебя частенько. Однако этим я не хочу сказать, что когда мне хорошо (такое тоже бывает), я о тебе не думаю. Нет. Вот здесь-то как раз и помечтать самое время. Ведь человек никогда не останавливается на достигнутом, и если ему хорошо, то он хочет, чтобы было еще лучше. И еще, знаешь, Пупа, до меня все как-то не доходит, что я в армии. Раньше армия была чем-то далеким, совершенно мне ненужным и непригодным для меня. И вдруг я — солдат! Как же это так? Правда, интересно?

Все время думаю о тебе, и от этого разлука не так остро воспринимается. И, кажется, что вот откроется дверь и в комнату вбежишь ты и принесешь с собой свежесть, живость, какую-нибудь детскую забаву (или совсем недетскую), но вместо тебя входит сержант, а в лучшем случае никто не входит.

Ну к дьяволу. Что-то я разнылся, разрюмился, разлимонился. Все прекрасно (или точнее, не так уж плохо). Жизнь идет. Вот приеду — мы с тобой наговоримся, насмотримся друг на друга, будем гулять по самым нашим любимым местам.

А ты смотри у меня, учись. Будь самой-самой, ты можешь, ты умница. И вообще, мы с тобой — ребята хоть куда. Еще как станем знаменитостями! Ха-ха! Пиши мне, солнышко. Обнимаю тебя добросовестно и страстно.

Твой Максик.

Пупель читала письма Максика из армии и плакала. Она, конечно, писала ему, она писала, что все будет хорошо, что все прекрасно, что она учится и так далее.

Читая грустные письма, она представляла его такого одинокого в этой армии, да, конечно, она была не в армии, она училась в высшем художественном заведении на обивке для стульев. Но от этого легче ей не становилось. Ах, что за учеба на обивке.

Все ей было не по душе. Во-первых, Пупель не любила стулья, все остальное можно было не перечислять. Если ты учишься на обивке, а стулья терпеть не можешь, но, скажете вы, стулья можно не любить, а обивку, к примеру, обожать. Все это, конечно, так. Обивка обивке рознь. Но на факультете были незыблемые правила для обивки. В этом-то и заключалась вся канитель.

— Обивка для стульев должна быть очень красивой, — говорил заведующий кафедрой обивки Василий Сергеевич Бубликов. — Она должна быть настолько красивой, что ее вовсе не должно быть заметно.

«Этакая ускользающая красота», — думала про себя Пупель.

— Поэтому она должна быть весьма нейтральной, — монотонным голосом объяснял Василий Сергеевич. — Что такое нейтральная обивка? Нейтральная обивка — это серая, бежевая и кремовая обивки. Вот основной спектр. В этом спектре нам предстоит работать в течение всего периода обучения.

— Василий Сергеевич, расскажите о рисунках для обивки, — с надеждой на лучшее просила Пупель.

Василий Сергеевич кивал и говорил:

— Рисунок для обивки должен быть запутанный.

Пупель очень обрадовалась.

Она живо представила себе запутанные рисунки: лесные дебри, с переплетающимися, покрытыми мхом корнями, солнечные поляны с грибами и ягодами, африканские джунгли, увитые лианами, американские пампасы с запутавшимися в пыли бизонами, кружева морской пены, запутанную нежность вечерних облаков.

— Запутывать будем квадрат под круг и круг под квадрат, — продолжал Василий Сергеевич. — Хорошо запутанный круг выглядит нейтрально на обивке, так же, как и хорошо запутанный квадрат. Будем запутывать круг и квадрат точками. Основная задача запутывания, чтобы при первом взгляде на обивку ничего не было видно и только при внимательном долгом рассмотрении можно было бы разглядеть, что круг запутан под квадрат. Этим мы тоже будем заниматься на протяжении нашего процесса обучения. А начнем заниматься прямо сейчас. Вы принесли коричневые краски? Работать пока будем только коричневыми, постепенно потом освоим другие, то есть серые и бежевые, но не все сразу.

Пупель ненавидела коричневые краски. Процедура запутывания круга под квадрат занимала массу времени.

С утра до вечера студенты высшего художественного заведения кафедры обивки стульев корпели над этим запутыванием, вся кафедра была вымазана коричневыми красками, пятна коричневой краски каким-то чудесным образом оказывались даже на окнах, придавая кафедре обивки стульев особый, так сказать, специфический колорит. Запах прокисшей загустки для анилиновых красителей изысканно дополнял укрепившийся образ.

В перерывах между запутыванием была еще начертательная геометрия, архитектурная подситуация, и, боже мой, какая скука — академические живопись и рисунок.

Самые серые ткани и самые невзрачные кувшины ставились для постановок, самые вялые натурщики лежали на самых грязных на свете матах. Обо всем этом Пупель не писала Максику.

Она приходила из высшего художественного заведения полностью опустошенная, что-то жевала, садилась дозапутывать то, что не успела запутать там, потом ложилась спать. Утром вставала, что-то опять пережевывала и отправлялась с огромным планшетом и сумкой, набитой коричневыми красками, в высшее заведение.

На улице, как правило, шел дождь.

Вот корыто, вот лопата, вот ушаты, вот навоз. Вот из тучки полосатой накатило море слез. Осень — ржавая старуха листья шевелит клюкой, дует ветер-ветеруха — злобный парень ледяной. Стынет, ноет, мокнет речка. Вянет, сохнет, жухнет лес. Затопить бы надо печку, заглянуть бы под навес, понабрать дровишек кучку. Надо, надо, только лень. Плачет горько в небе тучка в некрасивый серый день.

Глава 5

Ученых несколько разочаровало то,
что атмосферы на Меркурии
обнаружено не было.

Магда шла по делу. Она шла в издательство «Ад». «Павелецкая», переулочек, магазин «Данте & компания», открытый подвал с рабочими, разгружающими книги, колокольчик, милая девушка.

— Антон Павлович?

— У себя.

Она зашла в комнату. На диване — знакомые лица.

Иван Сергеевич — с сигаретой, Антон Павлович — с кружкой кофе. Магда широко улыбнулась и поздоровалась.

— Вы знаете, — сказал Антон Павлович, улыбнувшись своей безупречной улыбкой, — мне даже понравилось.

Магда кивнула.

— К сожалению, напечатать мы это не сможем, — улыбаясь, продолжил Антон Павлович.

— Почему же? — в голосе Магды зазвучало разочарование.

— Не наш формат, — проговорил невозмутимый Антон Павлович.

— Простите, я не понимаю.

— Я не спорю, рассказы живые, написаны занятным языком.

— Что-то между Зощенко и Гоголем, — изрек глубокомысленно Иван Сергеевич.

— Тогда вообще не понимаю! — возмутилась Магда.

— Я думаю, надо снести в большое издательство, для нас это не в тему, — спокойно завершил Антон Павлович.

Магда внимательно посмотрела на Антона Павловича, потом на Ивана Сергеевича.

— Нельзя ли немного детализировать? — произнесла она, стараясь не раздражаться.

— Ну вот, к примеру, в рассказе про художников о драке в клубе.

— И что с рассказом? — спросила Магда

— Ну, там этот японец что-то говорил о иероглифах, пургу какую-то нес.

— Да, я помню.

— Хотелось, чтобы действие происходило в Парке культуры, к примеру. Драка, допустим, носила бы яркий характер, с отборным трехэтажным матом, и чтобы этому японцу надрали желтую жопу бойкие ребята, а лучше, чтобы его там трахнул какой-нибудь крепкий патриот, тогда в этом, может, что-то и будет.

Антон Павлович закатил глаза под лоб, видимо, прокручивая только что сотворенную им картинку.

— Да, вот так! К примеру, патриот припомнил японцу, этому попсятнику-тойотнику, Цусиму — те времена, когда желтые узкоглазые говнюки не совсем еще огламурились и до одури резали своими мечами русских солдат и топили на фиг все наши корабли. И вот, патриот смачно схватил этого желтого хмыря, и все накопленное у него вылилось наружу, в буквальном смысле этого слова...

Магда посмотрела на Антона Павловича, не веря своим ушам. Ей на минутку показалось, что она заснула и видит чудовищно абсурдный сон.

— Вы это серьезно говорите? — недоумевающе спросила она.

— Концепция нашего издательства, — начал разглагольствовать Иван Сергеевич, — заключается в печатании литературы сильной, мощной, я бы сказал креативной. Мы не занимаемся милыми пустяками. У нас серьезный подход. Мы очень тщательно подходим к подбору наших авторов.

— А каких авторов вы считаете серьезными? — спросила Магда. Мускулы на ее лице напряглись, и улыбка получилась очень натянутой.

— Мы являемся первыми издателями Сойкина. Читали «Русский бекон»?

Магда чуть не свалилась с дивана.

— Вы знаете, — сказала она очень спокойным тоном, давшимся ей с большим трудом, — я знакома с этой книгой. Это чудовищно.

— Это пророческая книга, — провозгласил Иван Сергеевич.

— А мне показалось, что эта книга является чистейшей порнографией и глумлением над всей русской литературой. К тому же написана она очень плохим языком.

— Вы абсолютно не правы! — заверещал Антон Павлович. — Задача интеллектуального издательства — не сюсюкать с читателем. И это наше кредо. В современном искусстве существуют, к счастью, авторы, которые будят обывателей от спячки, пошлости, они освещают дорогу, являются современными пророками, своеобразными мессиями. Надо тормошить людей. Это такие художники, как Игорь Бекас. Не знаю, говорит ли вам что-нибудь это имя?

Магда перестала себя сдерживать и громко расхохоталась.

— Это художник-пророк, который в голом виде кусал людей, изображая из себя взбесившуюся собаку? — задала она вопрос.

— У него много интересных, актуальных идей, он не опускается до мещанства и убожества, — Иван Сергеевич, как критик, явно обиделся за нелестное суждение о мессии современного искусства.

— До мещанства он не опустился, — сказала Магда. — Он оказался гораздо ниже и пребывает на уровне недолюдей, разбирающих фекалии и запивающих это все мочой, видя в этом какую-то свою избранность. Может, конечно, не приведи Господи, он является мессией и пророком, но у меня все-таки сохраняется надежда, что человечество не пойдет по пути деградации и полного скотства. Верните, пожалуйста, мою рукопись, — попросила Магда.

— Да, да, конечно.

Антон Павлович пошел к столу и начал поиски.

Наконец он отыскал ее и протянул Магде, естественно, без пакетика с кнопочкой.

Магда посмотрела на замусоленные листы, взяла рукопись, кивнула и вышла из издательства.

Пупель сидела на диване и разбирала свои эскизы для очередного интерьера. Она глядела на картинки со стенками, арками, колоннами, но мысли о дизайне не лезли в голову.

Пупель вспоминала странный вчерашний день. Время от времени она проверяла себя на наличие Устюга. Она громко вслух произносила его имя, затем долго прислушивалась к себе. Ничего особенного не происходило. Несколько раз звонил телефон. Пупель, памятуя о наставлениях Магды, трубку не брала.

«Вот странные случаются вещи, — думала она. — Так живешь, живешь, и вдруг, раз-два, здрассте, *прилетели времири*. Дальше, как всегда после *времирей*, все идет кувырком, все мчится в ритме безумного черти-чего. Ты уже вообще ничего не соображаешь, и мало того, что не соображаешь, ты начинаешь грузиться по-страшному, вроде того — не сломалась ли машинка в голове? Вдруг ты сегодня уже совсем не такой, как вчера? И ты понимаешь, что, конечно, не такой, что ты каждый день другой, но имеется в виду, что ты, может, совсем с отклонениями, и они, к примеру, начнут сильно тебя окучивать, может, они жизнь тебе затмят. И будет казаться, что луна это солнце, а солнце это вообще кусок копченой колбасы, и до такой степени копченой, что она становится уже совершенно радиоактивной и излучает уран и другие опасные вещи. Да мало ли что может примерещиться, когда ты уже не такой. Тут классически может возникнуть опасность стать социально непригодной личностью. Потому что, как только ты эту свою свежую мысль про радиоактивную урановую колбасу озвучишь, народ от тебя шарах-барабах и ну волком смотреть, а некоторые добрые с жалостью и грустью. С другой стороны, живут же люди с отклонениями и ничего. Как там бывает, прилетают эти самые пресловутые *времири*. Срочно стишки складываются в наволочку и далее по сценарию, вроде того: «Прошу меня Футуристом не считать, с уважением ваш Велимир». А все про это знают и ждут не дождутся, когда они, эти отклонения, проявят себя в какой-нибудь особенной форме, чтобы потом сказать: «Вот совсем башня отползла, ну надо же, сегодня уже стихи в наволочке, и видите ли, просит не считать его Футуристом». У всех отклонения есть, — думала Пупель. — Вот люди, которые заказывают себе такие интерьеры, разве без отклонений? Разве нормальный человек захочет в своей квартире античную колонну рядом со стальной кухонной мебелью «хайтек» и смежным помещением типа столовой-гостиной в «классическом», как они говорят, стиле». Пупель смотрела на свои эскизы и думала: «Такое впечатление, что все это происходило в прошлой жизни. Как будто не позавчера я ездила к этим своим заказчикам и все эти разговоры, надо посовременней, поконцептуальней, и чтобы присутствовал артдеко и еще куча всего: и в спальне палантин, и китайские панели, и финские шкафы, и комодик из карельской березы. А Устюг пропал. Жаль. С ним интересно было. Он, наверное, обиделся на мое нытье. А может быть, каждому человеку в какой-то период его жизни полагается свой определенный Устюг, чтобы что-то дать понять или объяснить наглядно. Так-то сам по себе человек живет себе и живет и в ус не дует. И даже если ему хреново, он не понимает, отчего это у него, и что да как. А тут приходит эдакий или эдакая, и все становится на свои места. Раньше это называлось по-простому видениями или явлениями». Пупель задумалась: «Ну, конечно, это так, — мысли текли как по маслу. — И они абсолютно не парились по поводу этого, просто это было и все. Конечно, люди есть люди и в стародавние времена они тоже были людьми, и когда с ними приключались такие вещи, они сначала столбенели и чумели, и спрашивали: «Это вы мне? И всякие другие вопросы задавали, вроде таких: «А вы уверены, что я — тот человек?» Или: «Вот вы так по-простому рассказываете мне всякие вещи, которые просто с бухты-барахты всем не рассказывают. А некоторые люди были настолько крепкие, что даже таких вопросиков не задавали, они просто шли и делали то, что им говорили. Им говорили: «*Надеть должна ты латы боевые...*» Они в срочном порядке надевали на коня, и по полной. И у них не возникало вопросов, что-де раньше они этого ничего не делали, и латы видели только издалека, и на конях не ездили, потому что были, например, девушками и просто гусей пасли в скромной маленькой деревушке близь Орлеана...»

Внезапно раздался звонок в дверь. Пупель кинулась открывать. На пороге стояла Магда.

— Я тебе говорила, что рано или поздно приду. Оказалось раньше, чем я думала, — проговорила Магда скороговоркой. — Ты как тут? Никто не звонил?

— Я не подходила к телефону, ты же сама просила.

— Правильно.

Магда зашла в комнату, оглядела все зорким оком.

— Работаешь?

— Пытаюсь.

— Правильно. Быстрее начнешь, быстрее за-
кончишь, быстрее приступишь к тому, что надо
нам всем, быстрее сделаешь то, что надо нам
всем, и все будет отлично. Главное — не обращать
внимание.

— На что?

— Ни на что. Мало ли кто что буровит.

Образы Антона Павловича и Ивана Сергеевича
всплыли у нее перед глазами. Она брезгливо пере-
дернулась.

— Надо на это плевать и делать то, что намечено,
надо идти вперед.

— А кто буровит-то? — заинтересовалась Пупель.

— Да кто только не буровит, попадаются иногда
такие личности, мама не горюй.

— Ты думаешь, не стоит брать в голову?

Магда пристально посмотрела на Пупель.

— Я тебя умоляю, ни в коем случае. Это может
привести к полной деградации.

— Я тоже об этом думала, — призналась Пупель.

— Ты вообще не должна ни о чем таком думать.
Тебе отвлекаться не надо. Тебе надо работать. Вчера мне один человек позвонил и прямо как снег на
голову.

— Какой человек? — Пупель заинтересовалась.

— Ты его не знаешь, я тоже практически. Вернее,
я его не помню. Он сказал, что мы с ним встречались давным-давно, во времена моей учебы в университете. Я абсолютно не помню. С кем я только
не встречалась, толпы, кучи и стада, но к делу это
никакого отношения не имеет.

— А что имеет отношение к делу, и при чем здесь
этот человек?

— К делу имеет вот что... — Магда закурила, смачно затянувшись. — Надо роман срочно писать, рассказы рассказами, их никто у тебя не отнимает, надо крупной формой заниматься, все делать только по-большому, понимаешь меня?

Пупель грустно посмотрела на подругу.

— И не надо на меня этими глазами испуганной лани смотреть, у тебя все получится.

— Ты думаешь?

— Я уверена, это даже не рассматривается, сомнения и вопросы должны возникать во время работы и только по поводу работы. У тебя все материалы есть, просто собрать и кое-что дописать, все организовать, разложить по полкам.

— Это тебе сказал человек, которого ты не помнишь?

— Это говорю тебе я.

— А что сказал тот человек?

Магда задумалась.

— Этот человек мне много дельного сказал, он, видимо, очень толковый человек. Он мне сказал, что делать, и даже предупредил, чего делать не надо.

— И чего же не надо делать?

— Лапшу вешать, бадью солью засыпать, ухо в мякиш опускать, носить вести и вещи дуракам, разговаривать с пустотой, развозить болото, дробить целое, забивать голову перцем, спорить с подипрочим, заглядывать в зрачок иглы, подкладывать подушку под мизинец, дуть на озеро, закидывать лыжи на спину палками кверху, нырять в омут с кипятком.

— Действительно умный человек, — произнесла Пупель. — Такие хорошие советы не всякий может дать. Скажи, а он просто так позвонил тебе, представился человеком, которого ты не помнишь, и сразу все эти советы тебе дал?

— Практически так. Это-то и было приятно и весьма по делу. Я, правда, выслушав его, сразу пошла и сделала все, чего он просил не делать. И, сделав это, поняла, насколько он был прав.

— А что надо делать, он тоже сказал?

— Да.

— Интересно было бы узнать. Не каждый день слышишь мнение мудрецов.

— Он сказал: только в большом есть большое, но в настоящем большом есть и маленькое, и очень маленькое, и крошечное. И, как правило, если есть такое количество, то это лучше и больше шансов. Потому что в маленьком может быть и большое, а очень маленького и мизерного нет, уже не умещается. Поэтому, несомненно, большое лучше.

Пупель хмыкнула.

— Это я и без него знала.

— А если знала, почему не делала?

— Ты о романе говоришь?

— Да.

— А ты совсем-совсем его не припоминаешь?

— Нет. Всю голову себе сломала. Думала сначала, что это один. Потом поняла — точно не он. Тот говорил-говорил умное, а потом ни с того ни с сего после умного сразу чушь начинал нести. А после чуши обыкновенно начинался саморазбор его глубокой личности. Как он себя видит в свете и без, и как он ощущает окружающий мир, и как окружающий мир... Нет, это точно не он. Это совершенно другой человек.

— И на чем вы с ним остановились?

— Сказал, будет звонить.

— Повезло тебе, Магда.

— В каком-то смысле, я считаю, что да.

— Во всех смыслах хорошо. Если случайно, нежданно-негаданно звонит умный человек, говорит, что надо делать и чего категорически не надо, а потом еще собирается потом позвонить, это разве не счастье?

— По большому счету это никакое не счастье. Счастье — это когда ты не сталкиваешься с такими проблемами, на разрешение которых необходим особый человек.

— Ну, это ты уже махнула. Как же с проблемами не сталкиваться?

— Проблемы надо мудро обходить, заранее просчитывать. Как айсберги в океане. Знаешь, что впереди через сотню миль будет айсберг, делаешь расчет, столько-то узлов такой-то широты, там, долготы, как положено, и никогда айсберга не увидишь.

— А хочется, — проговорила Пупель.

— А если хочется его увидеть, тогда считай, считай еще и еще, и проплывешь рядом, опасности, конечно, больше, но для тех, кто любит смотреть на айсберги, нужны особые мозги.

— Ты хочешь сказать, что у меня нет таких мозгов?

— Все у тебя есть. Ты отвлекаешься много. Надо взять себя в руки. Я теперь тебя не оставлю в покое, уж будь спокойна. Вкладывай все свои витания в облаках в тексты. Все записывай, чтобы ничего не досталось врагам, ни пяди, ты меня понимаешь?

— Ты сейчас кого имела в виду?

— Ты сама все понимаешь, со мной такой номер не пройдет.

Пупель уже хотела выложить не в текст, а Магде напрямую все вчерашнее приключение, как ясно услышала голос Устюга.

«Это не честно, — проговорил он. — Я специально только для тебя стараюсь, у нас сложились такие теплые интимные отношения, а ты сразу решила вывалить их на всеобщее обозрение, какая же ты, Пупа, легкомысленная болтушка».

— Я же ничего еще не сказала! — выпалила Пупель. — Потом, Магда моя лучшая подруга. Я не собиралась никому, кроме нее. Ты, как всегда, пропал, я не знала, что думать.

«Ах, Пупель, Пупель, ты в своем репертуаре. С глаз долой — из сердца вон».

От этих слов Устюга Пупель чуть не заплакала.

— Зачем ты это говоришь? — воскликнула она.

История Пупель

Постепенно дождь стал переходить в снег. Листья с деревьев пали, это как положено. Листья валялись под ногами. Жалко их, бедные листики, бурые, страшные, такие некрасивые. Прошло очей очарованье.

Серое, серое с облаками, с тучами, с сединой, с залысинами было небо. Снег быстро лег на мокрую землю. Заморозки, лужи с крошками льда, с ледяным оскалом. Пупель совсем загрустила. Надвигалась зимняя сессия. Надо было подготовить обивки на просмотр. Обивки плохо готовились, а тут еще этот снег.

Письма от Максика приходили не так часто. Воспоминания о нем удалялись в какую-то туманную дымку. Иногда Пупель казалось, что и не было ничего, что все это ей только приснилось, а на самом деле была вечная обивка для стульев и больше ничего. Пупель чахла на глазах. Она ни с кем не общалась, сидела в свободное от обивки время у себя в комнате и смотрела в потолок. Иногда в окно на деревья с облетевшими листьями.

Надо сказать, между прочим, жила Пупель не одна. Она жила со своими родителями. И чего, казалось бы, человеку так одиноко и пусто, если ты живешь с любящими родителями? Зачем страдать от одиночества и пустоты? А вот, поди ее спроси, почему?

Конечно, папа с мамой переживали, глядя на нее. Папа иногда даже заводил разговоры, типа таких, не уйти ли ей, Пупе, из художественного высшего заведения? Мама спрашивала, не жалеет ли она, Пупа, что пошла учиться на обивку? И Пупель объясняла, что на то есть судьба, и если бы она не поступала бы в художественное высшее заведение, то она наверняка бы не встретила бы Максика, а без Максика что за жизнь?

А родители у Пупели были самые добрые на свете люди и самые деликатные. Они так полунамеками спрашивали ее обо всем, но не приставали, видели просто, что дите страдает, сидит такая одинокая, как птица на ветке. И однажды папа Пупели, самый добрый и отзывчивый папа на свете, глядя на все эти переживания и страдания, принял очень мудрое решение.

Он сказал Пупели, что собирается купить ей кооперативную квартиру, чтобы его дочурка смогла жить самостоятельно. Вот как он сказал: «Если такие дела и вы с Максиком собираетесь пожениться, то вам надо будет свою жизнь строить. А пока он не вернулся, ты, моя дорогая дочурка, мо-

жешь там все устроить как хочешь. Можешь там
свить гнездо и жить-поживать».

Он сказал, что собирается это сделать, и слов на
ветер не бросал, потому что он был самый добрый на
свете папа. Сказано — сделано. Взял и купил прекрас-
ную однокомнатную квартиру в центре. Это неожиданное событие очень взбодрило Пупель.

Дел у нее прибавилось, но для нее, по сути, это было очень хорошо. Папа-то был не только самый добрый на свете, но и самый мудрый. Он понимал в жизни всё при всё, он разбирался в жизненных ситуациях.

В перерывах между обивкой Пупель с мамой ездили в магазины. Они покупали полочки для кухни, диван, столик и много всяких-превсяких нужных вещи-
чек. Зима перестала казаться Пупели такой ужасной: ну и что снег, ну и что мороз, подумаешь, деревья
голые. Максику она об этом не писала.

«Это будет сюрприз, — думала Пупель. — Вот вернется он из армии, а у них уже есть свой дом. Только
вот когда это будет?» Из своей комнаты Пупель за-
брала книги и картинки, остальное было новенькое с
иголочки, занавески в комнате, ламбрекен на кухне.
«А если тебе там будет грустно одной, можешь все
равно у нас жить», — говорил мудрый папа.

Пупель решила жить самостоятельно. Когда-то
ведь надо начинать взрослую жизнь. Она поцеловала
папу и маму и перебралась к себе. Поначалу ей очень
нравилась эта игра в большую девочку со своим хозяй-
ством, со своим домом. Она протирала тряпочкой
пыль с нового стола, прохаживалась из комнаты в
кухню, заглядывая в ванную.

Готовить Пупель совсем не умела. Она выросла в
вате, ей и в голову не приходило, что надо заранее
предпринимать какие-то действия, чтобы пища

оказывалась на столе. Но поначалу ей это тоже очень нравилось. На завтрак кофе, на ужин чай с плавлеными сырками. Обедала она в высшем художественном заведении. Начиналась зимняя горячка — сессия, всякие зачеты, кошмар кошмаров — история искусства. На улицах уже стояли елки, витрины магазинов, как положено, были разрисованы красномордыми дедами-морозами, снежинками, прописными буквами с завитушками — С НОВЫМ ГОДОМ, С НОВЫМ СЧАСТЬЕМ!

Пупель решила встретить Новый год в своем новом доме.

В высшем художественном заведении Пупель не обзавелась друзьями. И даже не потому, что она не хотела, просто времени не было. Все время уходило на обивку, на это вечное корпение.

Самую ближнюю ее приятельницу звали Надя Коляева. Ближней Надя была в самом, что ни на есть, прямом смысле. Она сидела за соседним столом. Иногда Пупель и Надя переговаривались. Надя была старше Пупель. Она успела уже отучиться в художественном училище. Она была небольшого роста, с хитренькими серыми глазками и светленькими волосиками.

— Мужчина моей мечты, — та с ходу рассказала Пупель свое кредо, — должен быть высокий, светлый, и к нему должна прилагаться лужайка с белой садовой мебелью.

Пупель никак не могла взять в толк, как к мужчине мечты должно что-то прилагаться, но спрашивать, к какому месту должно это прилагаться, она стеснялась.

У Нади как-то все ловко получалось, на все она смотрела легко и, можно даже сказать, играючи. Обивка у

Нади шла прекрасно. Раз-два, и все как по маслу. По всему видно было, что Надю ничто не может вывести из жизнерадостного состояния духа. Она не раздражалась ни на академическом рисунке, ни на живописи — серый так серый, бежевый так бежевый.

Все она проходила легко, насвистывая, с улыбочкой. Ну, в общем, полная противоположность Пупели с ее вечными охами, вздохами, переживаниями и тайными страданиями.

Однажды, в предсессионной запарке, в порыве непрерывного запутывания Надя поинтересовалась, где Пупель будет отмечать Новый год. Пупель наспех, не отрываясь от процесса запутывания, рассказала Наде о своей новой квартире и о своих планах встретить Новый год в новом месте. Надя очень заинтересовалась рассказом.

— *Так ты там совсем одна?*

— *Ну да, это мое новое жилище, и мне там очень уютно.*

— *Это очень хорошо,* — *прокомментировала Надя,* — *это просто отлично.*

Пупель кивала.

— *Свободное новое помещение* — *все, что надо для праздника.*

Пупель опять кивнула.

— *Я тоже так подумала,* — *проговорила она.* — *Я так и планировала.*

— *Что же ты одна собираешься сидеть в своем свободном новом помещении?!* — *негодующе воскликнула Надя.*

Пупель пожала плечами. Она вспомнила о Максике, и взгляд ее затуманился.

— *Да, одна,* — *грустно проговорила она.* — *А что?*

— *Это просто недопустимо...* — *затараторила Надя.* — *Это недопустимо по многим пунктам! Во-первых,* нельзя встречать Новый год одной, плохая примета, во-вторых, нельзя лишать людей прекрасного нового места, места, где можно прекрасно повеселиться и все встретить и, если хочешь, даже проводить.

— Каких людей? — с недоумением проговорила Пупель.

— Нельзя лишать друзей прекрасной перспективы праздника.

— Каких друзей? — опять с недоумением спросила Пупель.

— Каких, каких... своих, — с уверенностью бросила Надя.

— Дело в том, — начала объяснять Пупель, — мой друг сейчас далеко. Конечно, я бы очень хотела отметить этот праздник вместе с ним, но, к сожалению, это невозможно.

— Новый друг — лучше старых двух, — самоуверенно выпалила Надя, — предлагаю отмечать вместе у тебя.

— Давай, — кивнула Пупель, — приходи.

— Повеселимся в веселенькой компании, — пропела Надя.

— Ты хочешь еще кого-нибудь пригласить?

— Конечно, что же нам вдвоем тосковать? Хороший народ, все свои, увидишь, будет здорово.

Пупель кивнула.

— Вот и отлично! — зачирикала Надя. — Так как ты предоставляешь хорошее новое помещение, с тебя больше ничего не требуется. Стол у тебя есть?

Пупель опять кивнула.

Накануне Нового года Пупель заглянула к родителям. Мама заохала.

— Больно смотреть, — сказала мама, глядя на нее. — Совсем, что ли, обивка тебя доконала? Что ты решила с Новым годом?

Пупель рассказала маме о своих планах: друзья, компания, Надя Коляева.

— *Вот и хорошо,* — *сказала мама.* — *Папа тоже сказал — правильно, молодец, веселитесь.*

Мама открыла холодильник и начала вытаскивать миски, банки, салаты, селедку, курицу, холодец.

— *Мам, зачем так много?* — *удивилась Пупель.*

— *А что же вы на праздник голодными будете сидеть?*

— *Надя сказала, что с меня ничего не требуется.*

— *Надя сказала, Надя сказала... бери, пригодится, покушаете хоть нормально.*

Нагруженная пакетами, вышла Пупель от родителей. Она опустила новогоднюю открытку Максику в почтовый ящик и отправилась домой.

— А сюда кусочек ваты. Тут повесим мишуру...
— Аты-баты, где солдаты?
— Поправляют кобуру.
— А на ветку колокольчик,
Пусть трезвонит — динь, динь, динь.
На макушку с блесткой кончик, ну, готово.
Все. Аминь.
— А куда привесить Зайца, Белоснежку, Мудреца,
Длинноухого китайца,
Пучеглазого Вдовца?
А куда девать морковку, шарик с розой, домик, сад?
— Аты-баты, где солдаты?
— Все солдаты крепко спят.
Снег валит и ветер стонет.
Нет на елочке звезды.
По земле пороша гонит,
Обрывая все следы...

Глава 6

Витиеватый танец Меркурия
астрологически обозначает
развитие идей, планов, проектов.

— Надо во что бы то ни стало, просто кровь из носу, начать и писать глобальное, а я, кровь из носу, буду стараться с мелким, когда крупное будет закончено, мелкое уже будет издано, и так как мелкое уже есть и внушает уважение и доверие, то на крупное сразу клюнут, — проговорила Магда.

— Иногда мне кажется... — Пупель замолчала.

«Она права, — заговорил Устюг, — она абсолютно права, ни дать ни взять философ».

— Вот видишь, — произнесла Пупель, — а ты не разрешаешь мне поделиться со своей подругой такими интересными новостями. Магда прекрасный человек, она так все понимает и чувствует, она вообще.

«Я знаю», — сказал Устюг.

— Так вот прямо садись и пиши, — строго проговорила Магда.

— А ты, что же, уходишь уже? — с недоумением спросила Пупель.

— Да, у меня много дел.

— Что, и кофе не попьем?

— Нечего рассусоливать. Знаю я эти дела. Сядем кофе пить, ногу за ногу, слово за слово, пустота, тебе нельзя отвлекаться. Ты привыкла жить в каком-то совершенно немыслимо эпическом ритме. Так пошли, пошли, пошли, сорок лет ходили, мы будем рабство по-другому выветривать. У меня есть уверенность, нюх на то, что все будет, как доктор прописал.

— Может, не будем о докторах? Мне эта тема неприятна.

— Ладно, ладно, о докторах ни слова. Не забывай, что социальность обязательна.

— Это ты сейчас к чему?

— Сейчас это я к тому, что в крупном сочинении необходим социальный мотив.

— Вот тебе и раз! — воскликнула Пупель.

— Вот тебе и два-с, это необходимое условие.

— Да ты с ума сошла? Какая социальность?

— Самая что ни на есть социальная, надо будет продемонстрировать четкую позицию, обосновать ее, и по полной, без всяких там. Четко, лаконично, и чтобы все всё сразу поняли.

— Ты требуешь невозможного. Сжалься, о, сжалься надо мной. Откуда, скажи на милость, возьму я тебе четкую социальность?

— Ты же общаешься со своими придурочными заказчиками, почерпни оттуда.

— Господи, милостивый, я это как страшный сон пытаюсь забыть, а ты просишь написать. О чем там говорить, это же полная пустота, кичливость и гонор сплошной.

— Вот-вот, прямо то, что надо. Причем можно не скупиться на эпитеты, это сейчас модно в интеллектуальной литературе, а если вдруг — я, конечно, не настаиваю — захочется нецензурно ругнуться, так и это будет неплохо.

— Ты меня прямо пугаешь, что же, по-твоему, я должна написать крупную форму о моих заказчиках, кто какую арку у себя в квартире мастерит, и чтобы это все еще было написано матом, так, что ли?

— Так у тебя не получится, это слишком по-мужски, ты при всем своем желании не сможешь.

— Я вообще этого не хочу писать, мне тошно от этого, я и так мучаюсь, когда общаюсь.

— Это очень хорошо. Все настоящее искусство рождается в муках, ладно, я пошла, занимайся, вечером созвонимся.

— Это не честно, бросать друга на распутье, я совсем не знаю, и вообще. Ты знаешь, я собиралась написать об искусстве, красоте и добре.

— Пусть и это присутствует, но если все время, тогда будет полная лажа. Да, следи за языком, красивый слог — успеха залог, только не переборщи, текст должен быть читаемый.

И Магда действительно ушла, взяла — раз и все.

— А ты молчишь, как воды в рот набрал, — пробурчала Пупель специально для Устюга. — Или опять свалил, когда у девушки проблемы?

«Вот как мы заговорили, — со смешком выговорил Устюг. — Я с ней согласен, слов нет».

— Все со всеми согласны, все самые умные, а я все время что-то должна по вашему согласию делать.

«Ты можешь ничего не делать, мы же просто советуем, так сказать, вешаем советы на веревочку, а ты хочешь — бери, хочешь — как хочешь».

— Вам легко говорить.

«Слава богу, с этим у нас проблем нет».

— А в чем у тебя проблемы, поделись, а я буду сидеть нога на ногу и советовать, или ты думаешь, я не могу?

«Я подумаю».

— Вообще, это не честно, если ты уже мой, так сказать, друг, мне добра желаешь, все обо мне знаешь, а о себе ничего не говоришь. Ты сам посуди, меня же раздирает жуткое любопытство, граничащее с безумием.

«Долго рассказывать, Магда велела тебе не отвлекаться и приниматься за работу».

— Может, это мне для работы пригодится, ты знаешь что-нибудь социальное, мне очень не хочется писать про заказчиков. Пойми ты это.

«Это же не в буквальном смысле».

— Так, я понимаю, никакого рассказа не будет, а будут менторские нотации, поучения, понукания.

«Ладно, ладно, расскажу тебе сказочку».

Пупель приготовилась. От любопытства ее просто раздирало на части.

Первый рассказ Устюга о городе Пермолоне

Что за город Пермолон! Диво дивное, чудо чудное! Ах, что за город, ах, что за столица! Глаз ликует. Ах, как все блестело в нем, как светилось, как ярко освещало солнце хрустальные крыши домов, чудесные ухдии шелестели синей листвой. Оранжевая свежая молодая весенняя трава. Пели крусоки – маленькие красные птички. Сколько в нем было красоты и удобства!

Возле каждого дома маленький сад с фонтаном. В каждом доме бассейн с удивительно чистой лимонной водой. Нет, никогда и нигде на свете не было ничего красивее Пермолона. Даже сравнивать его не с чем было. Даже отдаленно он не напоминал ни один город.

Идешь, бывалочи, по главной улице и глаза разбегаются, что же это такое? Тут магазин с едой, тут с питьем, тут мочалки и мыло, а рядом книжный с самыми лучшими книгами.

А сколько в Пермолоне было кинотеатров, театров, цирков, сколько было концертных залов. Нет, это невозможно себе даже представить. Это рай, чистый рай. В Пермолоне было все.

В Пермолоне было море, озеро, река, пруды, был пляж, лес, поляна, были маленькие домики и небоскребы были огромные-преогромные, они упирались прямо в небо, сияли и блестели. В Пермолоне было много выставочных залов, скульптур, ах, что за скульптуры были в Пермолоне – красотища, розовый мрамор, голубой гранит, оранжевый малахит, сиреневый кобальт.

А что за жизнь была у пермолонцев? Жизнь – радость. Работали, отдыхали, выходили на пенсию. Дети в школу ходили, малыши в детский сад. И что же?

Чего им не хватало? Они все время хотели, чтобы было еще лучше, еще и еще. Что-то такое усовершенствовали. И чем больше они это усовершенствовали, тем больше им хотелось еще, еще и еще.

Когда живешь в таком чудесном городе и все у тебя так хорошо, возникает вопрос, а не появится ли враг, которому захочется попользоваться всем этим добром и красотой.

Этот вопрос не у всякого возникает, а только у самых умных, так как дураков только дурацкие вопросы волнуют, а умные жизненные вопросы только у очень умных возникают. Враг не сразу находится, но если хочешь найти врага, жаждешь этого, то проблем не будет. И где-нибудь обязательно что-нибудь нужное найдется.

Все началось с этого пресловутого врага. Начали пермолонцы искать врага. День ищут, другой ищут, третий ищут, а найти не могут. Тогда президент Пермолона издает указ в срочном порядке найти и пусть предстанет перед народом. А то что за дела такие – все у них есть, а врага нет.

Указ висит, а врага – нет как нет.

Собирает президент палаты верхнюю и нижнюю, это те, кто внизу и наверху жили, говорит: «У нас проблемы серьезные приключились, я и указ издал, а воз и ныне там». Верхняя и нижняя палаты спрашивают, вроде того, нельзя ли поконкретнее рассказать о проблеме? Президент прямо ногами затопал, говорит, невозможно такими тупыми быть, все уже в указе написано, синим по зеленому.

Нужен враг.

Палаты в затылках почесали, сначала нижняя, потом верхняя, и говорят: «Мы бы с радостью, прямо сей секунд, только проблемочка одна у нас».

– Что еще за проблемочка?! – возмутился президент.

Палаты так помялись, потоптались, вроде неудобно сказать, а потом с трудом еле выдавили из себя: «Мы, говорят, не знаем, что это такое – враг. Вот ты наш президент, умный, мы тебя не зря выбрали, ты все знаешь, объясни нам, непонятливым, что это и с чем это едят?»

Тут президент ненадолго призадумался, все-таки не простой вопросик, а пока он думал, он палаты распекал, что, дескать, как же им не стыдно, что, дескать, люди все солидные, все такие на руководящих, посвоему, постах, а, оказывается, просто зря свои штаны просиживают, не понимают элементарных вещей, таких, которые каждый ребенок должен с молоком матери впитать.

Палаты только рожи корчили, только брови поднимали, только неловко улыбались, так им стыдно было.

Президент всех их распекал, распекал, распекал, а сам думал, думал, думал, чуть себе голову не сломал. Потом, когда уже времени прошло много, очень есть захотелось, вот он и спрашивает – кто есть хочет?

Палаты удивились такому странному вопросу. Многие действительно проголодались, а некоторые плотно позавтракали и есть абсолютно не хотели. Те, которые проголодались, подняли руки. «Мы, говорят, есть хотим, а те, которые плотно позавтракали, молчат». Президент говорит: «Вот и я тоже есть хочу, а те, кто не хочет, – нам враги».

Проголодавшиеся посмотрели на сытых и поняли, что действительно так и есть. А президент говорит: «Врагов нельзя щадить. Раз они нам враги, мы должны бороться с ними их же методами. Вот они не хотят есть, и мы не будем». Тогда те, которые хотели есть, говорят: «Вот мы, наверное, чего-то недопоняли, выходит, что мы сами себя наказываем, они не хотят, а мы хотим, а получается, что мы страдаем». А президент говорит: «Вот теперь вы понимаете, что они нам приносят только страдания и беды, это настоящие враги». А те, которые не хотели есть, видя, что тут такие дела творятся и как-то это все не путем, стали говорить: «Мы тоже теперь уже хотим есть, сильно проголодались». А президент посмотрел на них, как на уже врагов, и говорит: «Вот видите, какие они коварные. Они нагло обманывают, только что не хотели, а теперь хотят. А теперь, дорогие мои, поздно хотеть. Теперь мы вам не верим, потому что теперь вы наши враги. Этого уже отменить невозможно».

И тут те, кто не хотел есть, начали прощения просить, говорить, что никогда так больше не будут, но всем этим только усугубили дело. А президент спрашивает у не врагов: «Что с врагами-то делать? Теперь это все уже непоправимо, они навсегда себя запятнали и будут только портить и жизнь в Пермолоне, гадить и настраивать всех против нас, рассказывая всякие небылицы, что они якобы хотели есть, просто промолчали из скромности. А люди будут на нас смотреть и думать, что мы изверги. Это нехорошо и это на самом деле не так. Мы одного хотим – чтобы все по справедливости было, чтобы все по-честному».

Тогда те, которые хотели есть, говорят: «А давайте их убьем, и разговоров не будет».

Идея президенту понравилась. Он потом даже удивился, что сам до такого додуматься не смог. Умные люди ему попались. Он изрек: «Неплохо придумано. оС врагами надо идти до конца». Все люди, которые хотели есть, хором воскликнули: «ДО КОНЦА!»

– Что это за история? – спросила Пупель.

«Рассказик такой».

— Никогда не слышала о городе Пермолоне. Или все это ты для красного словца придумал.

«Понимай как хочешь — хочешь как байку, хочешь как правду».

— А дальше что было?

«Там много чего было».

— Расскажи, интересно же.

«Не сейчас».

— Почему?

«Сейчас зазвонит телефон, и ты не успеешь до-
слушать мою историю, а я люблю рассказывать, не
прерываясь».

— А ты мог бы хоть на секундочку показаться
мне, просто интересно, как ты выглядишь; когда
рассказываешь, ты хотя бы улыбаешься?

«К сожалению, это невозможно. Я и сам бы рад,
но не получится».

Устюг, как видно, никогда не ошибался. Внезапно раздался телефонный звонок.

Пупель подошла к телефону.

— Я все понял, — прозвучал голос Марка, — ты
просто издеваешься, и ну, и хрен с тобой, издевай-
ся, почему ты не звонишь? Что случилось?

— Я тебя бросила, Марк, извини.

— Что ты такое морозишь?

— Наконец-то до меня дошло, Марк. Мы не
должны быть вместе.

— Почему?

— Я не люблю тебя, а как друг ты мне совершенно неинтересен.

— Это тебе эта сучка Магда нашептала?

— При чем тут Магда?

— Чувствую ее происки, нам ведь было так хорошо вместе.

— Нет, Марк, нам не было, за тебя я, конечно, говорить не берусь. Мне скучно с тобой, прости, это надо было сделать давно, нам не надо быть вместе.

— Ты пожалеешь еще.

— Не думаю.

— Вот теперь как ты поешь. А кто мне говорил: «Марк, мне с тобой спокойно, я не нервничаю». Я думал, что у нас все хорошо. И вдруг опять на ровном месте, ни с того ни с сего ты начинаешь выкобыры выкобыривать. Понимаешь, Пупель, так нельзя.

— Это я как раз прекрасно понимаю.

— Мы говорим на разных языках.

— Это как раз то, что я тебе пытаюсь донести.

— Блин, ты опять о своем. Тебе было спокойно, хорошо, что случилось?

— Прости. Я правда не хочу делать тебе больно, но если все останется по-старому, будет еще хуже.

— Мы можем сделать выводы. Мы все поменяем.

— Не получится. Я вообще хочу заняться литературой, мне некогда будет.

— У тебя кто-то появился?

— Нет. Прошу тебя, Марк, не звони мне, давай расстанемся по-хорошему, мы же взрослые люди.

— И это говоришь мне ты, кривляка, ты, фифа выспренная.

— Не звони мне больше, пока.

Пупель повесила трубку. Несмотря на то, что разговор с Марком был ей очень неприятен, она почувствовала облегчение.

«Вот и все, — подумала она. — Проехали».

Потом прислушалась к себе. Никаких ощущений. Грусть? Нет. Желание позвонить, проговорить

скороговоркой: простимаркяошибласьятакболь-
шеникогданебудудавайпробоватьещераз? Ничего
не было.

«Что же это за город Пермолон?», — думала она,
машинально рисуя на клочке бумаги стеклянные
крыши и немыслимые узоры. По каким-то непо-
нятным, неописуемым признакам она знала, что
Устюга в комнате нет. Она даже проверять не стала.
Просто знала, что его нет, но он обязательно вернется, это она тоже знала четко. Вдруг неожидан-
ная идея пришла Пупель в голову.

История Пупель

— *А это моя подруга Магда.*

Гости завалились все вместе.

— *Это Марк Коняшкин, наш, между прочим, кол-
лега, скульптор, в этом году диплом. Доктор Погост,* — *представляла гостей Надя.*

*Все ввалились в квартирку Пупели. Надя с Магдой
направились на кухню, а Коняшкин и Погост сразу по-
топали в комнату.*

— *Мы с Магдой в одном классе учились,* — *начала
рассказывать Надя.* — *А нож у тебя есть?*

*Пупель кивнула. Магда смотрела на них большими
зелеными глазами и ждала распоряжений Нади, та,
вообще, чувствовала себя, как хозяйка.*

— *Хлеб нарежь,* — *обратилась она к Магде,* — *а Коняшкин этот нескладный, но высокий и светлый, про
лужайку с белой мебелью я еще не спрашивала, мы
только вчера в курилке познакомились.*

— *А Погоста где ты откопала?* — *поинтересовалась Магда.*

Пупель поняла, что Магда, так же, как и она сама, никого, кроме Нади, раньше в глаза не видела.

— О, это отдельная история, доктор Погост с фигурой Аполлона и лицом упыря, вот это вещь в себе, это штука штуковенная, вам понравится это чудище-юдище, умный, жуть.

— Так где ты повстречала эту прелесть дивную? — опять спросила Магда с улыбкой.

Пупель тоже улыбнулась, ей понравилась улыбка Магды — «что-то среднее между улыбкой Чеширского кота, Джоконды и Антиноя», — подумала она.

— Доктор Погост учился в медицинском институте вместе с моим братом, вернее, он учился задолго до моего брата, учился, учился, учился, и в результате закончил обучение вместе с моим братом.

— Прямо Петя Трофимов, — Магда опять улыбнулась своей комбинированной улыбкой.

Пупель тоже улыбнулась, потому что она тоже так подумала, и именно в тех же выражениях: и Петя Трофимов, и слово «прям» тоже присутствовало.

— А ты чем занимаешься? — спросила она у Магды.

Надя не дала Магде ответить, затараторив: «Магда у нас звезда, она сразу после десятого класса на журфак МГУ без всякого блата поступила, Магда у нас ходячая энциклопедия, это, об этом можно часами говорить, это что-то отдельное, чудовищный интеллект. В школе все просто очумевали, она с первого класса могла бы уже преподавать философию и литературу. Скажи, Магда, существуют на свете книги, которые ты не читала?».

— Да ладно тебе, прекрати, — возмутилась Магда, — и не вздумай эти тирады произносить при твоих дружках, я тебя просто умоляю.

Пупель открыла холодильник.

— Вот сколько мне мама насовала, — обратилась она к девчонкам.

Надя заахала:

— И холодец, ну класс, у нас будет пир на весь мир, а мужики-то что там? Пуп, пойди, посмотри, что они? Пусть на стол помогают накрывать, а то уже Новый год на носу.

Пупель вошла в комнату. Коняшкин смотрел в окно, Погост развалился на диване.

«Какие у него огромные ноги», — подумала Пупель.

— Ребята, — чувствуя какую-то нелепость в этом обращении, произнесла Пупель, — поможете на стол накрыть?

Реакция последовала не сразу. Еще некоторое время Коняшкин смотрел в окно, а Погост, видимо, очень глубоко смотрел в свои мысли. Но все-таки после повторной реплики — стол накрыть — оба как-то шевельнулись в сторону стола.

— Красивый вид, — молвил Коняшкин.

Погост как-то руками развел, видимо, проверяя, сможет ли он раздвинуть стол.

— Нельзя ли поживее двигаться!!! — На пороге стояла недовольная Надя. — Вы что, спите, что ли?

Моментально стол был раздвинут, появились тарелки и буквально через несколько минут вся странная компания оказалась за столом. Надя включила телевизор.

— Умоляю, не надо, — прозвучал неожиданно высокий голос доктора Погоста.

Все с недоумением уставились на него.

— Что может быть лучше общения, зачем смотреть в «ящик» и ждать от него указаний.

— А как же Новый год? — возмутилась Надя.

— *Надюша, не надо выставлять себя глупее, чем ты есть*, — *фальцетом пропел Погост.* — *Новый год отмечали задолго до того, как появились всякие глупые технические изобретения. Читай больше Штейнера, многое почерпнешь и не будешь так привязываться к догмам.*

Пупель и Магда переглянулись. Причем Пупель показалось, что они подумали одно и то же. Коняшкин захлопал глазами.

— *Разлей шампанское, Марк!* — *повелительно-указательно выговорила Надя.*

— *«Вошел, и пробка в потолок»*, — *продекламировала Пупель.*

Магда улыбнулась, Погост не прореагировал, Коняшкин разливал шампанское в бокалы, Надя резала студень.

— *А музыка у тебя есть?* — *обратилась она к Пупель.*

— *Музыки у меня много, только не знаю, что бы подошло к новогоднему празднику*, — *сказала Пупель.*

— *Все бы вам себя травить, все бы отвлекаться*, — *произнес Погост.* — *Что, просто нельзя созерцать* — *вот стол, вот вино, вот кушанье, вот компания, что еще надо?*

— *А что нам теперь, о науке разговаривать?* — *Надя проговорила это с явным раздражением.* — *Ой, скорее, без пяти, надо проводить старый год, давай тост, умник*, — *обратилась она к Погосту.*

Тот взял бокал, закатил глаза и таким совершенно не тостовым голосом заговорил: «Особенно интересна в этом смысле его книга «Hackel ind seine Gegner».

— *Пусть все хорошее останется с нами, а плохое уйдет*, — *сказала Магда.*

Все, кроме Погоста, посмотрели на Магду с благодарностью. Чокнулись.

— А теперь с Новым годом! — закричала Надя. — Марк, включи срочно телевизор, уже, поди, куранты бьют.

Телевизор был включен. Все еще раз чокнулись и допили шампанское.

— Давай посмотрим музыку, — обратилась Надя к Пупели. Они вышли из-за стола и начали рыться в пластинках.

Погост временно остался во главе стола. Он смерил сидящих Магду и Марка снисходительным взглядом и выговорил мысль, которая явно сидела в голове:

— В отношениях Штейнера к позитивной науке особенно ярко отразилась широкая терпимость его миросозерцания и его глубокое проникновение в смысл исторического процесса. Как он Геккеля защищал от врагов.

— Конечно, это совершенно не новогодний разговор, — произнесла Магда, — но, чтобы закрыть тему, я бы вот что вам на это сказала, хоть Штейнер и защищал Геккеля, но птица птице рознь, и есть две большие разницы между монизмом Геккеля и философией доктора Штейнера. Геккелевский монизм не заключает в себе нравственного начала: с его точки зрения, все мировые явления, от мельчайших химических соединений до высочайшего человеческого духовного творчества, развиваются естественномеханическим путем, и всё, могущее объяснить их, заключается внутри самого физического мира. Поэтому всякая человеческая действительность с точки зрения монизма есть лишь частица всеобщей мировой деятельности, и деятельность эта не стоит ни в какой связи с высшим нравственным мировым порядком и *нисколько не зависит от него. Зачем тогда жить? Думать, чувствовать, свершать открытия?*

Погост с удивлением уставился на Магду. Он явно не ожидал такого поворота событий, в растерянности он смог выговорить только: «Ну, в общем, хотя, и может, вы и правы, несмотря на, так сказать...»

Пупель из угла комнаты наблюдала за этим странным диалогом.

— Я вообще не вижу никакой музыки, — расстроенно проговорила Надя.

— Джаз есть? — неожиданно вынырнув из Штейнера, спросил Погост.

— Вот тут старые пластинки, такой старенький милый джаз, — залепетала Пупель.

— Ну, хоть что-то, хоть этот псивый старый джаз, — проворчала Надя, — а то я совсем уже сейчас сдвинусь на фиг, не под Брукнера же танцевать.

Пластинка с шипением жарящихся котлет заиграла старомодный квикстеп.

Надя начала смешно выкренделивать ногами всякие штуки. Вечер потихоньку налаживался, приобретая элементы праздничности, в телевизоре без звука происходил огонек, пластинка хрипела: «The moon was yellowy».

Погост выполз из-за стола, решив, видимо, передохнуть от Штейнера, и пригласил Пупель на танец, Марк и Надя уже вытанцовывали вовсю. Магда невозмутимо сидела на диване и курила, вид у нее был удовлетворенный и умиротворенный.

Рядом с Погостом Пупель чувствовала себя миниатюрной фигуркой в руках великана. И странно ей было видеть так близко около себя этот огромный подбородок, лохматую голову и большие-пребольшие серые глаза.

Изредка Пупель поглядывала на сидящую Магду. Ей почему-то очень не хотелось, чтобы та чувствовала себя одинокой. Их взгляды встречались, Магда улыбалась своей таинственной улыбкой. За весь вечер только Марк не произнес ни одного слова. Надя оттаяла, старые пластинки не подкачали, все потихоньку елось и пилось, пилось не потихоньку, это только к слову было сказано.

В какой-то момент Пупель почувствовала, что она совершенно пьяна, голова кружилась, четкость пропадала, и непонятно было — хорошо ей или плохо, она постоянно танцевала с Погостом. Он пару раз приглашал Магду, но та отпиралась, что ей ленно, что она и без танцев прекрасно себя чувствует. Погост переключился на Пупель. Он сильно выпил, глаза его блестели.

Внезапно Пупель ощутила, как это пишется в романах, жаркий поцелуй в шею, и опять же, как в романах, все тело ее пронзило чувство блаженства и всяких там желаний и бог знает чего.

Вспоминая это позже, она никак не могла взять в толк, как это все случилось, почему и зачем? Она, тогда еще совсем юная и неопытная, попалась, как говорится, как птичка в клетку. И совсем-то он ей не нравился, и вообще, и прочее и прочее. В общем, все, как в бреду. Погост что-то шептал ей в ухо, половину она не слышала, может, и слушать не хотела. Ее несло на всех парусах куда-то в такие дебри, о существовании которых в себе она даже и не подозревала. Бесстрашная Пупель плыла неизвестно куда, ни о чем не думая.

— Есть только одна проблема! — почти прокричал в ухо Погост.

— Что, что? — непонимающе шелестела Пупель.

— У меня очень большой член! — прокричал, как показалось Пупели, Погост.

Мысли у Пупели путались, спотыкались о какие-то невидимые коряги, большой член, звучало в голове, у меня большой член. При чем тут этот член?

Все-таки она была полной дурой. Она делала широкие глаза, непонимающе спрашивала: как это? Всякую лабутень молола несчастная Пупель, не понимая, как тем самым заводит Погоста, она не каталась на санках и рыбку не кушала, что такое страсть и с чем ее едят, знала только из толстых книжек. Потом, мало ли что в книжках написано, в жизни-то все по-другому, все по-особенному, и, кстати, в книжках все было очень описательно. В книжках все-таки слова. Одно дело написанные слова — касаясь, приближаясь, другое дело — реальные действия и, ну да, о чем говорить. Ну что можно было с нее спрашивать?

Есть девушки умные, есть предприимчивые, есть хитрые, во всем видящие свою выгоду, Пупель же принадлежала к той породе эмоциональных созданий, которые не ведают, что творят.

Пупель даже не заметила, что наступило утро, в туманном бреду алкоголя и черти-чего она пребывала вне времени. Только когда она осталась с Погостом одна, до нее дошло, что гости ушли. Далее неразборчиво...

Падал снег, был серенький день или это был уже вечер. Очень болела голова.

Погост расхаживал по-домашнему в трусах. Клевал остатки салата.

«Как же так? — думала Пупель. Она смотрела на падающие хлопья и думала о Максике. — Как же те-

перь? Я ведь люблю Максика, а как же Погост? Наверное, я тоже его люблю».

Воспоминания о вчерашнем вечере будоражили
бедняжку. Смешанные чувства обуревали несчастную
Пупель. Такой, как в умных книгах пишут, дуализм.
Дуализм действительно присутствовал. На практи-
ке она поняла всю сложность, так сказать, философ-
ской концепции. Типа, с одной стороны, я того люблю, с тем у меня все, а с другой стороны, я вроде этого люблю, и хотя с этим у меня еще пока, но теперь и
далее по всем пунктам, со всеми остановками, по
кольцевой дороге. «Голова кру́гом и болит, и мама,
мамочка, что же я буду делать? О...»

Один служил в солдатах.
Другой мастак в дебатах.
Есть у меня два друга —
Один мой милый, Другой мой милый.
Боже, Боже, дай мне силы.
Как же делу-то помочь? Что же делать?
Утро? Ночь?
Один милый? Другой милый?
Может, надо выбирать? Может, лучше умирать?
Может, лучше проще жить? Как же быть???
— Все равно тебе водить.
— Кто остался?
— Родион.
Вышел, шишел, пошел вон.

Глава 7

Меркурий часто можно увидеть с биноклем или даже невооруженным глазом, но так как эта планета всегда находится очень близко к Солнцу, ее трудно рассмотреть в сумеречном небе.

— Издательства: «Зубриус», «Марсов», «Камфора», «Бузвука», «Красповиц», — звучал голос в мобильном телефоне.

Магда сразу даже не сообразила, кто звонит.

— Но из этих предложенных наибольшая вероятность в «Красповице». Причем надо идти к самому Красповицу. Это человек очень, очень, я бы про него сказал, Красповиц — человек с большой буквы К.

— Простите, — проговорила Магда, поняв, что разговаривает со своим недавним собеседником, — я не знаю, как к вам обращаться.

— Устюгов, моя фамилия Устюгов.

— А имя и отчество?

— Это не обязательно.

— Как же не обязательно! — начала возмущаться Магда. — Что же я к вам по фамилии буду обращаться? Или товарищ Устюгов? Вы сами подумайте, как-то это не совсем ладно будет выглядеть?

— А мне нравится, как вы сказали, товарищ Устюгов, очень даже ладно, но суть не в этом, милая Магда. Идите к Красповицу, ищущий да обретет. Остальные издательства так, для подстраховки, просто чтобы существовала некая альтернатива, а идти надо к нему.

— А у Красповица есть имя и отчество или к нему тоже принято обращаться «товарищ Красповиц»?

— Есть, есть, милейшая Магда. Сим Савович.

— Интересное имя и отчество, так, как-то гармонично сочетается, он точно Сим, а не Хам?

— Я вам говорил уже, чудесный человек, очень тонкий. Мастер своего дела. Да, Сим — настоящий любитель всяческих изысков.

— В каком смысле? — насторожилась Магда.

— Нет, нет, никаких концептов и разговоров о желтожопых участниках Цусимы, никаких предложений о драках в Центральном парке культуры и отдыха, это я обещаю.

Магда насторожилась. Она очень хорошо помнила, что не рассказывала Устюгову о своем походе в издательство «Ад». Она вообще никому об этом не рассказывала.

Как человек реалистичный и деловой, она начала про себя просчитывать различные варианты, включавшие в себя и такой, например: издатели в «Аду» решили обходными, какими-то хитрющими ходами раздобыть рукопись Пупелиных рассказов и под всякими предлогами, через третьих лиц... Но почему они пошли таким странным путем?

Магда ломала голову, идей не было.

— Я вас уверяю, милейшая Магда, дело чистое, никаких подводных камней, Сцилл и Харибд, — прозвучал голос Устюгова. — Это дело светлое и ясное, не омраченное, так сказать, никакими темными силами.

— Вы имеете в виду издательство «Ад»? — задала, как ей показалось, каверзный вопрос с подвохом Магда.

-- Боже упаси, зачем нам Ад, нам и в Раю будет неплохо, — отозвался Устюгов.

— Простите, пожалуйста, — Магда запнулась, ее язык не поворачивался выговорить «товарищ Устюгов».

— Да, что вы хотели сказать, может, все-таки попробуете обратиться с этой формулировкой, вот увидите, будет весело.

Магда поняла, что собеседник ее не лыком шит и надо с ним держать ухо востро. «Хочет поиграть, пусть», — подумала она, с легкой усмешкой выговаривая:

— Товарищ Устюгов, мне хочется узнать о вашем интересе, не могли бы вы мне это озвучить.

— Сейчас, сейчас, уже озвучиваю. Чисто дружеское расположение, желание помочь, желание увидеть напечатанными творения Пупель, личная симпатия к ней и к вам.

— И это все? — проговорила Магда, явно недоумевая и ожидая какого-нибудь подвоха.

— А что вам еще надо?

Магда хмыкнула. Она решила через серию наводящих вопросов все-таки уточнить кое-какие детали и добавить ясности. Чистой воды альтруизм со стороны абсолютно незнакомых людей всегда ее настораживал.

«Кто вы, товарищ Устюгов? — думала она. — Не кроется ли здесь подвох или, может, еще что похуже?»

— Простите, Устюгов, — пробормотала Магда. — Кто дал вам номер моего мобильного телефона?

— Ах, но-омер! — пропел Устюгов. — Номерок мне подкинул Кирюша, как-то разговорились, и я попросил, выклянчил, можно даже так сказать.

— Вы разговаривали с Кириллом Владимировичем?

— Мы с ним иногда общались.

— Вот, значит, как, — проговорила Магда. — Видимо, ваше знакомство произошло позже. Я никогда от него не слышала о вас.

— Наше знакомство произошло раньше. Наше знакомство весьма давнишнее. Можно даже сказать, я стоял у истоков Прокопия. С самого начала, с самого что ни на есть.

В голове у Магды начали выстраиваться кое-какие логические схемы. Появились определенного свойства якорьки, при помощи которых она всегда легко и просто устанавливала причинно-следственную связь.

«Так вот, оказывается, куда ведет эта дорожка, ну, конечно, как же мне сразу это в голову не пришло, товарищ Устюгов», — думала она.

— Значит, Кирилл Владимирович просил вас мне позвонить, и все эти советы по поводу Красповица идут от него?

— Нет, Кирюшка ничего мне не советовал. Он и советовать-то не умеет, Кирюшка, Кирюшка.

Магда опять хмыкнула.

— Знаете... — в ее голосе появилась стальная нота.

— И на старушку бывает прорушка, чего только не бывает, времена святости и непорочности прошли, скрылись за поворотом, сами понимаете.

Магда ухватилась за фразу Устюгова (ну надо же, как она сразу не догадалась!).

— Вы только что сказали мне, что хотите помочь из чистого дружеского расположения.

— Я — да, из чистейшего. Не надо на воду дуть, Магда, хотя я вас очень понимаю, очень, очень, но что ни делается, все к лучшему.

Магда решила язвительно высказаться по поводу этих трюизмов, она моментально сформулировала в голове фразу.

— Знаете что, товарищ Устюгов... — начала она. — Вы меня слышите?

В трубке была подозрительная пустота.

— Але! — прокричала Магда.

Связь прервалась. Магда судорожно начала поиск номера входящего звонка, чтобы перезвонить. Никакого звонка зафиксировано не было.

«Надо купить новый мобильник, — подумала Магда, — этот уже мышей не ловит, связь обрывается, номера не отображаются, так дело не пойдет».

История Пупель

Здравствуй, Пупа! Здравствуй, моя пропащая!

Москва, конечно, — город большой и заблудиться там можно всякому очень даже свободно. Но с другой стороны — человек не иголка. Тем более такой человек, как ты. Следовательно, исчезнуть бесследно ты вроде бы не можешь. Но факты говорят мне совсем другое. Они мне говорят, что в Новом году не пришло на мое имя ни строч-

ки, ни полстрочки. А еще они, факты то есть, говорят, сиди вот, Максик, на камушке да думай, что это с Пупой случиться могло, с чего это она враз писать разучилась? Такая вот, брат Пупа, философия вырисовывается.

Я все болею, переживаю за тебя. Все думаю, что и как у тебя.

Хоть пустой конверт пришли? А? Слышишь, Пуп? Не дело это. Нельзя как-то!

А то, может, я что не так сказал или сделал, так-то не по злобе, а по скудоумию единому токмо! Вот видишь, опять я стилизую. Все из-за тебя. Нет, чтобы написать письмишко, что-де все у меня в порядке, жива и здорова и т. д.

А тут думай черт знает что. Что тебе писать? Как писать, ни хрена не знаю.

Ты тоже думай, что делаешь. Сама знаешь, в мире черте-что происходит... Не ровен час заваруха какая-нибудь начнется, тогда ищи меня...

Ты уж, Пупа, прости за повышенную интонацию, но ты меня тоже понять постарайся. Ты ведь одна отдушина для меня. Тут ведь словом перекинуться не с кем. Сама понимаешь — армия. Очень тяжело и пусто в то же время.

А поэтому, милая, родная моя Пупа, самая хорошая, добрая и красивая на свете, напиши мне скорее, что там у тебя случилось, не мучай своего Максика. Готов получить пять-шесть дюжин упреков в свой адрес за глупость и разгильдяйство, только не молчи.

Все. Очень тебя прошу, хоть два слова.

Максик.

«Да, — думала Пупель, — надо ему написать и все рассказать». Но как это сделать, она сама не представляла. Для того чтобы что-то объяснять, надо самой четко осознавать. Пупель после встречи Нового года для себя решила, что с Погостом она больше видеться не будет. «Это все чепуха и пьяный бред», — говорила она себе.

Однако Погост явился к ней буквально через день с книгой Штейнера под мышкой. Пупель поначалу отнеслась очень скептически и к явлению, и к книге. Но, боже мой, как Погост умел красиво петь, с каким изумительным придыханием читал он этого ранее неизвестного ей автора, этого чудо-теософа-философа.

Все это зачаровывало, убаюкивало и вместе с тем будоражило.

— Открываются миры, — читал Погост внятно, своим высоким, но очень приятным для слуха голосом, — которые сокрыты от обычного воззрения на жизнь.

А как Погост подавал это, он совершенно не выглядел дураком. И кто бы мог раньше подумать, во всяком случае, Пупели никогда не приходило в голову, что только в этих мирах заключено то, что может раскрыть истину. И если даже ни один ответ не будет всеобъемлющим и окончательным, то все-таки ответы, которые завоевываются внутренним странствием души, таковы, что превосходят все, что могут дать нам внешние чувства и связанный с ними рассудок.

«Конечно, рассудок, — думала Пупель. — Именно, как же мне раньше-то это не тюкало? А тут, оказывается, такие миры, и я могу проникнуть, а Погост мне поможет, вот у него все в книге карандашом подчеркнуто, и даже если у меня не сразу получится, то ведь и это там уже оговорено, ну надо же, ум, философия, сколько времени уже упущено».

Погост все читал и читал, а она внимала.

— *Прежде всего, для этого странствия необходимы трезвые, сухие размышления. Они* дают верную *исходную точку для дальнейшего движения вперед в сверхчувственные области, которые и являются, в конце концов, целью души.*

— *Сверхчувствительные области,* — задыхалась *от экстаза Пупель.*

Иные души хотели бы обойтись без этой исходной точки и тотчас же проникнуть в сверхчувственное.

«Конечно, хотели, но если без исходной точки, то, наверное, очень сложно. Пусть будет хоть точка, хоть полточки, главное проникнуть», — *продолжала свои размышления несчастная Пупель.*

— *Здоровая душа, даже если она из отвращения к подобному размышлению сначала и избегала его, впоследствии все же ему отдастся. Ибо сколько бы человек ни узнал о сверхчувственном, отправляясь от иной исходной точки, твердую почву под ногами можно приобрести только через размышления такого рода, как нижеследующее:*

— *Скорее в нижеследующее!*

Ей просто не терпелось.

— *Итак, прежде всего, чувствуешь в себе законы внешнего мира, действующие в том совершенно особом сочетании, которое сказывается в образовании человеческого тела. Ощущаешь это тело как часть внешнего мира. Но внутреннему сочетанию его остаешься чужд.*

Поэтому во внешнем мире тело должно являться как взаимодействие сил и веществ, существующее и объяснимое само по себе как член этого внешнего мира. Природа производит растение и снова разлагает его. Она господствует над человеческим телом и уничтожает его в своем существе. Когда человек подходит с таким размышлением к природе, то он может забыть себя и все, что есть в нем, и ощутить при себе свое те-ло как часть внешнего мира. Когда он думает так о сво-ем отношении к себе и к природе, он переживает в себе то, что можно назвать его физическим телом.

Время остановилось. Физические тела и дух пол-ностью поглотили Пупель. Помимо углубленного чте-ния Штейнера, они с Погостом занимались еще и практически, постепенно были подключены Блавад-ская, Раджниш, Кастанеда.

Выход в Астрал пока не давался, Точка Сна не на-ходилась, Туфли все еще жали, но все запутывалось так капитально, что мозг Пупели был уже полно-стью поражен. Ей уже грезились какие-то заоблач-ные дали и бог знает что.

Погост приходил каждый день. Разговаривал, ел, без конца читал всех этих теософских мудрецов то вслух, то про себя, полностью оккупировав единст-венное кресло в ее квартире. Он жевал жвачку и при-леплял ее под кресло, под стол и на полочку в ванной. Погост покупал в аптеке кучу лекарств, как он гово-рил — на пробу, дабы убыстрить процесс, и после про-бы оставлял несметное количество пузырьков и коро-бочек на кухонном столе. Он командным тоном про-сил чая, возмущаясь, что нет еды.

Часто, возвращаясь из высшего художественного заведения, Пупель заставала Погоста, сидящего на лестничной площадке со Штейнером в руках и сига-ретой во рту. В какой-то момент, это случилось уже ближе к весне, после седьмой медитации, Погост пе-ретащил чемоданы со своими книгами и парой гряз-ных трусов, сказав, что ему смысла нет мотаться туда-сюда, и что он принял твердое решение жить с Пупель и, в общем, необходимо побыстрее расписать-ся, в смысле оформить их отношения.

Пупель кивала, про себя думая, вот, оказывается, что такое судьба, вот, оказывается, что такое любовь. Раньше ей никогда в голову не приходило, что любовь — это не возвышенное чувство радости, а полная невозможность отступления, подчинение и безмолвие ради высших целей и заоблачных мечт.

Что она могла написать Максику? Как должно было выглядеть это письмо? Пупель где-то в глубине души ощущала необходимость сделать этот шаг. Надо было взять себя в руки, собраться с силами и послать что-то вроде: «Прости, дорогой, все, что у нас с тобой было, полностью задавлено Погостом». И вообще, душа должна воспринимать внешний мир другими средствами, нежели внешними чувствами и связанным с ними рассудком. В общем, я сама не знаю, что как должно быть и даже если бы... о, все равно, навряд ли кто бы мог подумать?

Но она ничего этого не написала. С Погостом она чувствовала себя кроликом перед удавом, хотя страха не было. Просто ощущала подавленность и помрачение рассудка.

Потом, много лет спустя, перечитывая письма Максика, Пупель была поражена: как могла она, в общем-то добрая и чуткая по натуре, быть такой черствой и равнодушной! Почему она ему не написала? Может быть, все изменилось бы, может... но, это было уже потом.

Весна. А почему мурашки на душе? Промерзло все внутри до дна.

Согреться, мочи нет. А может, чашечку горячего вина? Не помогает, мерзну, мысли стынут. Сегодня поутру так солнышко сияло. А на́ сердце мороз.

Залезу в койку. Где тут одеяло? Заплакать, что ли? Нету слез.

Глава 8

Завоевания Александра Македонского
составляют ровно две серии
стояний Меркурия.

Пупель совсем не заметила, как наступил вечер. Она сидела за своим столом и строчила со скоростью света. Одна мысль натыкалась на другую, приходилось без конца зачеркивать, переписывать. С определенным интервалом, который Пупели уловить никак не удавалось, но определенность все-таки присутствовала, звонила Магда, задавая только один вопрос: «Пишешь?» Пупель отвечала: «Угу».

После «угу» Магда резюмировала или хорошо, или очень хорошо и вешала трубку.

Иногда ритмичность Магды сбивалась вопросом: «Не привезти ли какой-либо нужной литературы, справочника или еще чего?» Пупель отвечала: «Пока не надо, пока не требуется». Магда опять говорила: «Хорошо», и вешала трубку.

Вечер наступил совсем внезапно и даже без всякого предупреждения.

— Необходимо написать об особом цвете и осве-
щении. Да, освещение очень важно для определенного настроения. Но тут все должно быть необык-
новенно, тут все не как всегда. Хотя почему же?
Иногда самое обычное вечернее солнце на верхуш-
ках деревьев, мягкий рассеянный свет и больше ничего. Смотришь, и так благодатно на душе, и кажется, что именно там, в этом незнакомом переле-
ске существует какая-то особенная жизнь, к которой ты не имеешь никакого отношения, но которая
тебя притягивает, манит, и с легкой грустью думаешь о том, что тебя там нет и никогда не будет, а
красота эта, тихая смиренная красота — мягкое
солнце, ярко-оранжевые, к примеру, стволы сосен — существовала и будет существовать, и кто-то,
а не ты, будет легкими шагами удаляться по пыль-
ной дорожке под сенью склоненных деревьев, и все
такое прочее.

Пупель посмотрела в окно. Знакомая собака
мирно дремала у ворот.

«А дальше-то что? — думала Пупель. — Я не знаю
продолжения, и можно, конечно, себе представить,
но все-таки хотелось бы. И ведь ни в одном Магди-
ном справочнике не найдешь, это уж точно. — Глаза ее слипались. Она отошла от стола и прилегла на
диван. — Чуток прикорну, и потом буду думать об
этом, что-то...»

Пупель шла по полю. Мелкий мерзкий дождик
больно колол лицо. Гнезда опустели, все по-старому,
и нет надежды, и глупость такая, и почему так тошно? Серое небо, а я люблю голубое. А лошадь, интересно, тоже издохла, или, может, у него ее не было?
Что же, он собирался жать без лошади или жнут без
лошади? Жнут серпом, а молотом машут. Получает-

ся жнивье, снопы резиночкой перевязывают и ставят на поле шалашиком, или то, что косят, шалашиком ставят, это стог, а из зерна стог не может получиться, потому что зерно круглое в колоске, колосок-то не нужен, его потом на корзины вроде бы пускают. Сверху звездочки горят, и на небе говорят, кабы тучек не было, мы бы засияли, мы бы заподозрили и сразу рассказали. Кладбище далеко, а лошади нет. Должен быть автобус с гробом, обитым красной материей с такой чудовищной черной рюшкой, и народу много-премного, и все плачут, а те, которые не плачут, — мрачно курят, а которые не курят, те просто стоят и не знают, куда руки девать.

Пупель присела за столик. Подошел официант в длинном фартуке до пят и серых холщовых нарукавниках.

— Мне кофе с молоком, — попросила Пупель.

— Молока нет, — сказал официант.

— Где ж коровка наша?

— Сливки будете?

— А вы можете их сбить со сметаной и капельку творога туда?

— Творога нет.

— Увели?

— Может, капучино?

— Просто кофе и морковный сок без мякоти.

— У нас все с мякотью.

— Тогда дайте, и поскорее, очень замерзла и есть хочется.

— На сколько яиц?

— Воз был белых яиц, а монахи пусть черные будут с капюшончиками.

— У нас все монахи с капюшончиками, ряс черных нет, есть хитоны голубые, пойдет?

— Ну, только чтобы ярко-голубые, и солнышко, и немного облачков на горизонте.

— Перец класть?

— Красный, если можно, конечно.

— Красный к голубому не очень.

— А это как в русском модерне, только красный кантиком и потихоньку.

— По рустику, что ли?

— Можно и по рустику, я бы только бумбочки.

— Подождать придется, бумбочки только завезли, надо освежевать. Выбирать будете?

— На ваш вкус, и если все-таки возможно, побыстрей, я же голая, мне холодно.

— Я пока принесу вышивку вологодскую?

— Опять завязла? — раздался знакомый голос Устюга.

Пупель во сне обрадовалась ему, как родному.

— Сама даже не знаю, что я тут делаю, — проговорила она. — Вроде заказа жду, а на самом деле сижу на жердочке под проливным дождем и не знаю, то ли под дождь вылетать, то ли на ветке насквозь промокнуть? Спой мне песенку с хорошим концом, чтобы согреться и спокойно уснуть.

— Ты и так спишь, — проговорил Устюг.

— Это совсем не то, я хочу видеть чудесные сны и просыпаться бодрой, живой.

— Не хватает живости, — сказал мертвец, перевернувшись в гробу.

— Ты думаешь, все это бесполезно?

— Нет.

— А почему все время эти похоронные настроения? Я что, скоро умру?

— Ты не умрешь.

— Никогда?

— Когда-нибудь, но не сейчас, не скоро.

— Откуда ты это знаешь?

— Давай отойдем отсюда, тут как-то вязко.

Пупель открыла глаза. Теперь она наконец- то поняла, почему ей так холодно и мокро. Она находилась по горло в жутком, самом, что ни на есть, настоящем болоте. Хлюп, хлюп и пузыри...

— На помощь, спасите! — закричала она. Ужас проник вовнутрь. Ей казалось, что через минуту эта грязная вонючая ряска сомкнется у нее над головой.

— Я не успел рассказать до конца тебе ту историю.

— Вытащи меня отсюда, я сейчас захлебнусь, ты что, не знаешь, что нет ничего на свете хуже, чем слушать сказки, лежа в луже.

— Пройдемся по галерее, как пахнут розы, посмотри, вдали море — бирюзовое, прозрачное. Забудь обо всем, не завязай, ты чувствуешь бриз?

Пупель шла по мраморной с изящными перилами галерее. Высокие шпильки белых лодочек стучали по мрамору, цук-цпук, на голове широкая шляпа с белой розой, кремовая юбка с огромным разрезом до полу, легкая батистовая кофточка с выстроченными складками, бусы из слоновой кости, завязанные элегантным узлом.

— Здорово я разоделась, так прямо-таки неожиданно, интересно, почему мне раньше всегда казалось, что на высоких каблуках ходить неудобно, я просто лечу, даже прыгать могу.

Пупель подпрыгнула и ненадолго зависла в воздухе.

— Полетели к морю, — просвистел Устюг.

Они сидели у камина. Огонь полыхал вовсю, поленья трещали и шипели.

На столе стояла супница с розочкой.

«Розочка — точно такая же, как на моей шляпе», — подумала Пупель.

— Ешь суп, а я буду рассказывать, — произнес Устюг тоном заботливой мамаши.

— А хлебушка можно? — Пупель сглотнула слюну.

— Вот он на тарелочке, намажь маслом.

Пупель откусила кусок и съела ложку горячего овощного супа с геркулесом.

— Сметанки нет?

— Открой глаза, она уже давно на тебя смотрит и улыбается белой жирной улыбкой.

— Давай, рассказывай, меня просто раздирает любопытство.

— Сейчас полешко в камин подброшу.

— Я, честно говоря, все время думаю о твоем рассказе, просто не сплю от всех этих мыслей.

— Ты как раз спишь.

— Давай не будем препираться, просто, пожалуйста, что там дальше было?

Устюг неторопливо, как заправский сказочник, начал свой рассказ.

Второй рассказ Устюга о городе Пермолоне

Что за город Пермолон! Диво-дивное, чудо-чудное! Ах, что за город, ах, что за столица! Только с некоторых пор в городе стали странные вещи твориться. Ох, чудные дела стали происходить. После того как наконец-то нашли пермолонцы то, чего им не хватало в жизни, как-то по-особому все им стало видеться. Надо было им приспосабливаться к новым условиям. К новому всегда потихоньку привыкаешь. Раньше-то, когда у них врагов не было, что за жизнь – живи себе и в ус не дуй, думать практически не надо было. А теперь-то – совсем другое дело. Теперь-то надо все время быть начеку, мозгами шевелить. Мало-помалу магазины стали закрываться, а те, что открытыми оставались, товар держали не на самом видном месте, кто его знает, что будет? Как-то освещение на улицах перестали включать, много света – хорошо видно, а в темноте спокойнее, вроде темно, и ладно. Хрустальные крыши на небоскребах перестали надраивать, чтобы те не блестели и блеском своим народ не смущали. Бассейны и фонтаны решили обезводить, в воде этой правды нет, чего хлобыщет? А с питанием просто вообще полные непонятки получились. Теперь все время вставал вопрос – хочешь ты есть или нет?

А дело было так. После той, первой истории президент призадумался. Он так призадумался сильно, очень жалел, что не ему в голову эта идея пришла идти с врагами до конца. И вот он решил немного все по-своему сделать, чтобы все поняли, кто есть кто – кто президент, а кто гусь лапчатый и лук репчатый. Вот он собрал палаты, верхнюю и нижнюю, народу, правда, в них поубавилось, но всем известно – меньше народу – больше кислороду. Вот он собирает палаты и так, туда-сюда, всякую белиберду им говорит, усыпляет бдительность: о погоде, о природе, сколько посеяли, сколько пожали, сколько мяса, сколько молока и разную другую мурень несет. Палаты расслабились, думают, если так и дальше пойдет, то пущай течет-льется. Некоторые из палат даже задремали,

под «столько-то процентов молока, столько-то цент-
неров пшеницы». И тут вдруг ни с того ни с сего президент спрашивает, нежно так, ласково, – вы не проголодались, кушать-то никто не хочет? Все встрепе-
нулись, орут, глотки дерут – очень хотим, все голод-
ные, как волки. Только некоторые не отвечают, потому что спят крепким сном, утомились про проценты
слушать, укачал их президент. Неспящие все с мест
повыскакивали и на низком старте стоят.

А президент-то не промах. Он смотрит так внимательно на них и произносит.

Он так с улыбкой произносит: «Что же это вы го-
лодаете, что ли? Неужели у нас в Пермолоне, что ли,
голод, что же вы на работу голодными приходите
или же вам денег на еду не дают?» Те, которые спали, проснулись, сидят, молчат, напрягаются. Самое
интересное-то они проспали. А президент именно к
ним обращается: «Вот я смотрю, не все у нас голо-
дают, есть некоторые – патриоты и настоящие пермолонцы, не хлюпики. А посмотрите на этих голода-
ющих: вот где сконцентрировались настоящие враги, в самой, так сказать, сердцевине, в наших палатах. А с врагами как у нас?» Те, которые спали, хором воскликнули: «ДО КОНЦА!»

Пупель проснулась, открыла глаза. За окном
было раннее утро. Она опрометью бросилась к своему столу и начала писать.

История Пупель

*Приближалось время весенней сессии, время
окончания первого курса высшего художественного*

заведения. Пупель совершенно запустила все свои занятия.

Ей было не до того. Она ни с кем не общалась. С Надей они поссорились. После встречи Нового года Надя несколько раз предлагала снова устроить вечеринку, но Погост был категорически против — он считал, что все вечеринки и ненужные общения не только не способствуют процессу просветления, но и, напротив, замедляют этот самый процесс. Пупель пыталась объяснить это Наде, она говорила, что сейчас очень занята, что никак не получится, и в следующий раз навряд ли.

— Что, ни на секунду не можешь оторваться от своего сумасшедшего Погоста? — спрашивала Надя.

Пупель мялась. Ей абсолютно нечего было ей сказать, доводы о вреде вечеринок на процесс просветления из ее уст звучали бы неубедительно и глупо, а просто: «Я не могу тебя пригласить, потому что Погост не желает тебя видеть», — обидело бы Надю. Но Надя и без всяких доводов обиделась. Пупель это поняла.

Как-то в курилке они разговорились с Коняшкиным, но тут подошла Надя и злобно прошипела: «Оставь ее, Марк, она вся уже на Погосте, с живыми людьми ей не интересно».

Больше они не разговаривали. Коняшкин здоровался при встрече, Надя — нет. Сначала это расстроило Пупель, но, в общем, ей было все равно, ее занимали совершенно иные проблемы. Приходилось судорожно делать курсовые задания. Обливаясь слезами и соплями над этими чудовищных размеров планшетами, весь день сидела Пупель в высшем Художественном заведении, вытюкивая и запутывая. С ними же, чтоб им пусто было, перевязанными ремнями и веревками, замотанными в клеенку, она вечером таскалась домой, пытаясь что-то поддоделать.

Погост возмущался, он говорил, что это все чушь, что это все глупость, и время на это все тратить просто жаль. И хотя Пупели казалось, что он прав, она билась, пытаясь создать, но все получалось кое-как.

Всю ночь напролет — с недоделанными проектами и разъяренным Погостом, утром — со всем багажом, но без Погоста, как вьючный верблюд топала она назад в высшее художественное заведение. Лицо у нее осунулось, появились под глазами синяки, а в самих глазах — выражение затравленности.

С родителями она не виделась. По телефону только — тяп-ляп, спешу, некогда. В один теплый майский денек она, едва передвигая ноги, проходила мимо отчего дома и решила заглянуть.

— Что с тобой? — с ужасом заохала мама. — Ты здорова?

— Все в порядке, мам, — пролепетала Пупель, пряча глаза.

— Ты что, пьешь?

— Что ты, мамуль, устала, столько дел, сессия, запарка на запарке.

— Не ври мне, — сказала мама, пытаясь оправиться от шока, — я все вижу, затравленная собака или опоенная лошадь. Что случилось? Что-то с Максиком?

Услышав эти слова, Пупель вспомнила о письме. Всё это время она почти не думала о Максике. Иногда мысль написать ему приходила в голову, но сразу же находились какие-то дела, и все опять откладывалось и забывалось.

— Мам, я замуж выхожу, — выпалила Пупель.

— Ты что же, поедешь к нему в армию венчаться? — с недоумением переспросила мама.

— Мам, я выхожу замуж не за Максика.

— А за кого?

— Это долго объяснять.

— А ты все-таки попробуй.

— Очень интересный человек, старше меня, мы с Нового года живем вместе.

— Можно еще деталей?

— Доктор Погост закончил медицинский, он очень умный.

— Погост, господи, спаси. А фамилию ты будешь менять?

— Нет, мам, зачем?

— Ты что, беременна?

— Нет.

— Тогда зачем замуж, если вы уже вместе живете? Живите себе, куда спешить?

— Погост говорит...

— Мало ли что он говорит, надо и свою голову на плечах иметь. И кстати, как вы собираетесь жить? Он что, хорошо зарабатывает? Или ты собираешься пользоваться деньгами, которые папа тебе на сберкнижку кладет?

Все эти неприятные вопросы раздражали Пупель.

— При чем тут книжка? Между прочим, помимо сберегательных, существуют еще иные книжки о росте духа, о медитации, о концентрации, о карме, в конце концов. И вообще, мне от вас ничего не надо! — дурниной закричала она. — Хотите, я и со своей квартиры съеду, у Погоста есть комната и там...

Мама посмотрела на Пупель спокойными холодными глазами и сказала:

— *Вижу, у тебя уже все решено, об одном я тебя прошу...*

— *О чем?!* — *срываясь на истерику, заверещала Пупель.*

— *Не бросай институт.*

— *Ничего обещать не могу!*

— *Как знаете, мадам Погост,* — *сказала мама и поджала губы.*

Пупель выбежала из дома, хлопнув входной дверью что есть сил.

Пожалуй, надо вымыть пол. Он так заляпался в прихожей. Потом чесать в затылке кол. Но нету сил, сил нету, боже.

Пожалуй, надо отдохнуть, присесть на стул, на табуретку, раскиснуть, жалобно вздохнуть, принять от глупости таблетку, запить ее сухим вином, нет, лучше водкой или виски. Сказать себе:

— Мне все не близко, мой путь особый, он — в ином.

Ах, как бы я хотела знать, куда ведет дорожка эта? Быть может, к солнечному свету? Или во тьму, ядрена мать?

Пожалуй, эти мысли — чушь. И нет вопросов на ответы. И после водки в горле сушь.

Как снег валит средь бела лета? Как на ковре растет пшено? Как на стене пробились почки?

Пожалуй, лучше ставить точку, а в общем, в целом, все равно.

Глава 9

Орбита Меркурия очень вытянута: перигелий равен 46 миллионам километров от Солнца, а афелий — 70 миллионам километров.

Ах, до чего интересно писать, как это затягивает. Пупель ни о чем и думать не могла, только о том, как сядет за стол и понесется, польется ее новое большое произведение. Она рисовала свои проекты, красила клаузуры, делала чертежи, ездила к заказчикам, кивала, что-то переделывала, разговаривала, спорила, но мысли и чувства ее были далеки от интерьеров, арок и углов. В ее воображении складывались такие арки, такие углы возникали в рукописи!

Ах, до чего интересно писать. Особенно если у тебя есть слушатели и советчики-консультанты. Может, и без этого хорошо, но, конечно же, когда чувствуешь живую заинтересованность и самоотверженное желание помочь во что бы то ни стало, тогда вдвойне интересно. Тогда процесс приобретает особый смысл, постоянное присутствие доброжелательной, но строгой критики подбадривает, возносит к заоблачным высотам, на Памир, на Гималаи, на Тибет.

И на этих вершинах, как всякий скалолаз, ощущается дыхание, эдакое веяние особого разряженного воздуха, когда дух захватывает, и вместе с тем хочется подниматься все выше и выше, а страх и пьянящее чувство высоты вселяет уверенность и даже гордость.

Конечно, во время процесса творения, именно тогда, когда, как тебе кажется, ты уже поднялся на эту чудовищную немыслимую высоту и собираешься флажок со своим именем воткнуть в снежный сугроб, чтобы увековечить свой подвиг во веки веков, — так вот, в это самое время возникает опасность срыва и падения с высоты.

Опытные скалолазы никогда не смотрят вниз: всем известно, голова может закружиться, и оп-ля! ты уже летишь, а за тобой несется снежная пыль. И хорошо еще, если это будет легкая, искрящаяся на солнце пыль, а не всепоглощающая лавина. В общем, временами возникают вопросы, типа, не пишу ли я глупость и чушь? Не графоманство ли это в его пышном цвету?

И хотя, как уже было сказано, доброжелательные критики и консультанты не дремлют, все равно червь сомнения заползает в душу автора шедевра. Коварные мысли возникают и гложут. Конечно, они, то есть мои консультанты и доброжелательные критики, говорят, что это хорошо, интересно, свежо, но... Насколько объективны их речи?

Может быть, все эти похвалы происходят из любви к автору, к его, как говорится, личным качествам, и никакого отношения не имеют к творчеству?

Может быть, они одобряют из терапевтических соображений — чем бы дитя ни тешилось?

И тогда, в минуту *сомнений и тягостных раздумий,* начинается судорожное перечитывание написанного, что, как правило, приводит к еще большим шатаниям и сомнениям.

И змеей заползают ма-аленькие вечные вопросики: Кому это надо? Неужели это кто-то будет читать? *«Поэт, не дорожи любовью народной...»*

Все равно думается — гению-то легко это было говорить. Он мог себе это позволить, потому что он это Он, а все остальные — это точно не Он и близко не стоят.

И потому кружат мысли по кругу. И, по прошествии нескольких кругов, не будем уточнять количество, чтобы не примазываться к другому гению, говорящему о кругах в подробностях (но между прочим, путешествующему по этим кругам с консультантом, потому что с консультантами всегда легче). И если даже такие нуждались в консультантах и проводниках, то что уж говорить о простых смертных?

Так вот, тогда думается, ну да, *я не Байрон, я другой...*

За несколько месяцев писания Пупель так привязалась к Устюгу, что беспрестанно по всякому вопросу и без вопросов его теребила. Общение происходило круглосуточно — днем, так сказать, в режиме реального времени, ночью — во сне, с различными прибабахами. Иногда, правда, возникали небольшие перерывы, которые, видимо, были Устюгу необходимы. Он всегда исчезал по-английски.

И если в первое время, по возвращении героя, Пупель засыпа́ла его упреками, типа, куда ты пропадал? Почему не сказал, не предупредил? Так не делается!!! То постепенно, мало-помалу, она и к этому привыкла.

— Ушел, вернется, никуда не денется, — успокаивала она сама себя.

Женщины вообще ко всему привыкают. Живут же некоторые жены со своими неряшливыми мужьями. На протяжении десятилетий спокойно вынимают их грязные носки из салатницы, ежедневно протирают заплеванное зубной пастой зеркало.

Бдительная Магда все держала под контролем. Отчетность, подотчетность, шаг вправо, шаг влево, контрольные звонки в голову. Пупель это тоже устраивало. Ей это даже в определенном смысле нравилось, это организовывало. Если за день было написано мало, то Магда делала строжайший выговор, практически распинала на кресте с позором, шипами и всеми остальными причитающимися этой строгой экзекуции атрибутами.

Никакие отговорки Пупель, вроде того, что приходилось ездить к заказчикам, и так далее, не помогали. У Магды на все был ответ.

— Ну и что? Одно другому не мешает, гусь собаку не загрызет, не путай блины с упаковочным картоном и всякое в этом роде.

Пупель так ничего и не рассказала ей об Устюге. Поначалу ее просто подмывало все Магде вывалить, но Устюг этого не хотел и, видимо, как-то на нее гипнотически воздействовал.

В общем, этого не произошло. Магда была совсем не в курсе. Во всяком случае, Пупель так считала. Постепенно у Пупели развилось страшное чувство собственности, ей уже ни с кем не хотелось делиться Устюгом, даже с Магдой. Это было очень личное. Никогда раньше она не могла себе даже представить, что можно так привязаться, быть откровенной, обожать невидимую личность.

Но из его рассказов Пупель сделала вывод: не мог посторонний человек, так сказать, не проживающий на Меркурии, так глубоко знать все меркурианские проблемы, с такой точностью описывать ландшафты и быт. Скорее всего он жил в Пермолоне, откуда-то ведь он должен был черпать историческую правду?

То, что все это была правда, у Пупель не вызывало никаких сомнений.

Без зазрения совести Пупель вставляла в свое произведение рассказы о Пермолоне. Кстати, они все до одного нравились Магде, к этим частям у нее вообще претензий не было, в отличие от тех мест, которые Пупель писала, так сказать, от себя. Когда Пупель углублялась в эмоциональные копания и всяческие переживания, которые ей казались очень важными и жизненно необходимыми, именно на этих кочках в основном рождались жаркие споры и пререкания.

Магда желала, чтобы всё было жестко, как в жизни, а Пупель, в силу своего лирическо-задумчивого характера, несла иногда сладкий бред в мармеладе, забывая о пресловутой жизненной реальности и вообще обо всем. Надо сказать, она прислушивалась к Магде, но далеко не всегда уступала ее просьбам. Как правило, она делала все по-своему, но иногда...

Магда кого угодно могла убедить, даже слона бы убедила, что он может невысоко лететь со скоростью света, если внимательно прислушается к себе и потихоньку откопает внутри себя эти способности.

И будьте спокойны, летал бы несчастный слон, он бы копнул вглубь, попробовал бы не копнуть! Под давлением Магды не сделать этого было бы просто невозможно. А если бы, к примеру, он вздумал игнорировать Магдин совет, то потом всю жизнь бы себя казнил, что не использовал данную ему возможность и не изыскал в себе силы ее воплотить. А Магда стояла бы рядом и говорила спокойно, но очень строго: «Я же тебе все буквально по полкам раскладывала, сам виноват. Что теперь плакать по пролитому молоку? Теперь результат у тебя на лице или на морде. Не знаю, как там у слонов это называется? И вот ты, поросенок (она обязательно именно так бы его позиционировала), а ты, поросенок, пренебрегал! Результат? Ты до сих пор не летаешь, и жизнь твоя прошла бесцельно и бесполезно. Мог бы, да не захотел, в общем, сам себя ты наказал».

Да, с Магдой вообще лучше было не спорить.

На улице было холодно и темно. Пупель сидела в комнате за столом и писала.

Мягкий оранжевый свет лампы освещал стол и кусочек дивана, под диваном валялись недоделанные мятые эскизы интерьера гостиной. Утром Пупель таскалась с ними к заказчице, которая клятвенно обещала переделать встроенный шкаф, все, все обещала сделать в срочном порядке к завтрашнему дню. Но Магда тоже давила сильно, надо было дописывать.

«Заказчица подождет, один день погоды не сделает», – думала Пупель.

Сильный порыв ветра распахнул форточку. Холод и сырость ворвались в комнату.

«А дома-то как хорошо», — подумала Пупель. В этот момент она услышала то ли вздох, то ли всхлип с завыванием. Пупель прислушалась.

— Господи, боже ты мой, — явственно раздался причет.

Пупель залезла на подоконник и просунула голову в форточку. Накрапывал острый дождь. У ворот сидела знакомая собака. Она чесала задней лапой ухо и приговаривала: «Куда же пойти? У мусорных бачков ничего, тухлую рыбью голову есть ни за какие коврижки не буду, себе дороже. Значит, ужин отменяется. Вот так лягу на пустой живот и фиг засну, а холодно как, до жути. Э-эх!»

Пупель закрыла форточку.

— Хорошо дома сидеть, в тепле, а пес-то страдает, — обратилась она к Устюгу.

«Да, жрать хочет, замёрзла, даже не ругается, совсем ослабла, бедолага», — спокойным равномерным голосом проговорил Устюг.

— Пойду ей сосисок снесу.

«Сходи. Если будут звонить, я скажу, что ты будешь с минуту на минуту».

— Кто будет звонить? Магда?

«Конечно, будет».

— Ты тогда скажи ей, что я в ванной, — начала объяснять Пупель. Потом запнулась. — Вот опять ты издеваешься, ты видишь — я в запарке, ничего не соображаю, а ты смеешься надо мной.

Потом Пупель представила смешную ситуацию: Устюг разговаривает с Магдой, и она ему выговаривает, дескать, зачем он отпустил ее в ванную, когда работа стоит и всякое такое.

— Я сейчас вернусь, не подходи к телефону, — зачем-то пробормотала она.

Сосисок было немного. Но собака очень обрадовалась.

— Мечты сбываются, хотя я не люблю эту банальную фразу, — протявкала она и завиляла хвостом.

— На здоровье, — ласково проговорила Пупель, — хотя я эту фразу тоже не люблю, но так принято.

— Угу, угу, — лопотала собака, тщательно разжёвывая сосиски.

— Спокойной ночи! — Пупель побежала обратно.

— Тебе того же, милочка, — протявкала собака, облизываясь.

Настроение у Пупель поднялось.

«Вот сделала такую мелочь, а на душе приятно и легко», — думала она.

— Расскажи мне о Пермолоне, — обратилась она к Устюгу. — Пусть это будет вечерняя сказка, такая сказка, которую приятно слушать в холодный тёмный вечер под оранжевой лампой. Ну, пожалуйста, Устюг.

Устюг, видимо, тоже был в хорошем настроении, он не припирался, не отшучивался, а сразу по требованию начал рассказ.

Третий рассказ Устюга о городе Пермолоне

С давних пор были пермолонцы путешественниками. С незапамятных времён любили они это дело. Это у них национальным видом спорта считалось.

Очень гордились пермолонцы своими достижениями. Всегда рассказывали друзьям и знакомым о тех местах, где успели побывать. Устраивали большие коллективные встречи, где каждый мог рассказать свою историю, хоть в устной форме, хоть по бумажке, это не оговаривалось, кто как хотел, так и делал. Самые интересные рассказы печатались в книжках, чтобы все, кто на встречи не попал, смогли почитать, понаслаждаться и поудивляться. За многие-многие годы книг этих накопилось – **жуть жуткая**. Они в библиотеках хранились. Существовали так называемые общепризнанные шедевры, капусы назывались.

Капусы в школе проходили. Детей тоже ведь растили будущими путешественниками. Самые известные капусы все знали практически наизусть: «Почему марсиане носят широкополые шляпы?» «Заводной огурец Урана», «Тишина на большой почве, близ Венеры», «Кто сказал кольца? Сатурн – ты не прав», «Посиделки на Юпитере», все не перечислишь. Однажды один пермолонец прилетает домой с выпученными глазами и рассказывает друзьям с пеной у рта – ребята, такое видел, такое событие, чудо просто настоящее, прямо не знаю, с чего начать, прямо я в очумении пребываю.

Друзья его успокаивают, наливают чашечку чая, говорят, умоляем, успокойся, приди немного в себя, расскажи все по порядку. Он, отхлебнув из чашки, опять заводится, как подорванный: я, говорит, вы, говорит, мы, говорит, в общем, на Земле видел таких же, как мы, первый раз в жизни, так растерялся, прямо весь до сих пор дрожу.

Друзья его сердиться начинают, говорят, совесть надо иметь, рассказывай, давай. Он делает глубокий вдох и говорит:

– Прилетел, иду. Все тихо, спокойно, как всегда. Место только не знакомое, но такое приятное. Сад, цветочки, лепесточки, речка, тепленько так, воздух свежий. Я расслабился, иду себе, насвистываю. Вдруг смотрю, сидит пацан и крыжовник лопает, а черненькие бумбочки на землю сплевывает. Я за куст спрятался, смотрю. Девчонка к нему идет. Прикольная такая, улыбается ему и говорит: «Ты зря этот крыжовник грызешь, он еще совсем зеленый, у тебя живот будет болеть». А пацан говорит: «Ничего он не зеленый, это у него цвет такой. На вкус он очень даже сладкий, только вот эти хвостики есть не надо, они невкусные», – и ягоду ей дал. Она попробовала. Говорит: «Так ничего, но все равно кисловатый. Пойдем лучше клубнику полопаем, это действительно класс». Они потащились за клубникой, а я за ними, больно уж интересно. Действительно, за кустами крыжовника полянка такая милая, солнцем освещенная, трава у них зеленая и деревья тоже, но неплохо смотрится, достаточно гармонично. Так там оказался целый сад. Деревья фруктовые, ухоженные, грядки, все чин-чинарем. В центре огромная яблоня с яблоками красными. А эти налопались клубники, завалились под куст и хихикали там, друг другу нос щекотали травинками, а потом уснули.

Я пошел местность осматривать, может, еще кого встречу. По всему видно было, что они там одни проживают. Река протекает, я кончиком пальца потрогал – теплющая. Птички поют, замечательное место. Так если с детьми туда лететь, лучше не найдешь, все под боком и воздух, и красота, и фрукты свежие.

– А эти-то что? – заинтересовались друзья рассказчика.

– Спали, я решил в следующий раз. Что им мешать, зрассте, как поживаете? Отдыхают и пусть себе, в первый раз такое увидел, сами понимаете, событие.

– А ты напиши об этом, – предложили друзья.

– Нет, ребята, я еще сгоняю, познакомлюсь, туда-сюда, а потом уже напишу, я просто так не хочу, я хочу, чтобы у меня капус получился. Сами понимаете.

Те закивали. Да, из такого можно реальный капус соорудить, потом потомки будут читать, наслаждаться.

И этот первооткрыватель, кстати, звали его Жульварс, дотошным таким оказался, просто жуть. Он полетел туда опять в надежде материала поднакопить и общение наладить. Он решил дело это не затягивать, и, как говорится, по горячим следам. Вот он улетел.

Проходит время. Прилетает домой. Вернулся просто никакой, просто грустный и мрачный, как не знаю что. Сидит дома и дверь никому не открывает. Друзья ему звонят, SMS посылают, а он никакого ответа. Потом ничего, немного подуспокоился. Душ принял, даже дверь открыл, все ввалились, расселись на диване, ждут. Вопросов наводящих не задают, думают, пусть сам все расскажет, мало ли что. Так сидят молча, смотрят на него. Жульварс просто сам весь не свой.

– Ребята, – говорит, – я этого места не нашел.

Они:

– Как же так? Ты же координаты четкие имел, быть того не может.

Он говорит:

– Координаты точные, а места этого нет.

И заплакал по-настоящему, просто как ребенок.

– Может, приборы переломались у тебя? – народ заинтересовался.

– Нет, – говорит, – и приборы в порядке.

– А что там? – эти спрашивают.

– А ничего, там голое место и кусочек реки.

Друзья спрашивают:

– Как это – кусочек?

Жульварс говорит:

– Вот так, как корова бритвой обрезала, кусочек реки есть, а кругом пусто.

– А кусочек реки-то это тот, который был?

Жульварс просто даже разозлился от таких вопросов.

– Кто его знает?! – орет. – От той или нет, разве по маленькому кусочку можно определить, от какой он реки?!

В общем, настроение у него было просто хоть выбрось. Но тут один друг Жульварса, видя всю безнадежность ситуации, видя, что тот просто в отчаянии, говорит ему:

– Слушай, а ты про это напиши.

– Про что писать! – разозлился Жульварс. – Про то, как я лохонулся?

– При чем тут это? – говорит мудрый друг. – Уж больно картинка занятная выходит. Я даже название тебе придумал, такое интересное философское название.

Жульварс сквозь слезы бубнит:

– Какое еще название?

А этот мудрый друг его говорит:

– Название для настоящего капуса – «Утерянный рай».

История Пупель

С грехом пополам Пупель закончила первый курс высшего художественного заведения. Остались хвосты. Ни о какой стипендии даже мечтать не приходилось. Сессия была сдана, но осадок остался. Перед последним сессионным просмотром Пупель с Погостом расписались. Ничего особенного. Пришли в ЗАГС и расписались. Погост не хотел атмосферы праздничности.

— Это все глупости, условности, никому не нужно, — говорил он.

Тетенька в ЗАГСе спросила, есть ли у них кольца? Колец, естественно, не было.

— Может, музыку включить? — не унималась загсовая тетенька.

— Ни в коем случае, — возражал Погост.

— А фотографии?

Погост замотал головой и фыркнул.

— Тогда поздравляю, вот и все, — сказала тетенька, поправив ленту на выдающейся груди.

Да, вот и все. Пупель и Погост стали законными супругами. И вроде бы ничего не должно было измениться. Поход в ЗАГС. Ну что в этом такого?

Но изменения Пупель почувствовала очень скоро.

Возвратившись после последнего просмотра домой, Пупель сообщила Погосту, что стипендию получать не будет, что ей с такими оценками не положена стипендия. Она даже представить себе не могла, что это вызовет такой благородный гнев у ее супруга, который все время ей твердил, что занятия ее в высшем художественном заведении не имеют никакого смысла.

— А что мы теперь будем жрать?! — орал он.

Пупель никогда не видела его в таком возбужденно-озлобленном состоянии.

И тут впервые простые мысли о жизни пришли в маленькую головку Пупель. И она даже задала вопрос, который любой нормальный человек должен был бы задать, собираясь под венец. Любовь, конечно, любовью, но кушать хочется всегда. Так вот, она, потупив взор, спросила его вроде того, — а ты что по этому поводу думал?

Этот, на первый взгляд, простой и не очень обидный вопрос окончательно вывел Погоста из себя.

Что тут началось! Погост голосил, что он вообще сирота, что его мать умерла полгода тому назад, что, конечно, у него были кое-какие деньги, но все они ушли на нужную литературу, без которой, между прочим, Пупель до сих пор бы оставалась полной дремучестью. Да, у него есть диплом врача, но он не собирается всю свою жизнь гробить на сраную медицину, на всякие там ординатуры и интернатуры. Единственное, чего бы он хотел, так это частная практика по гомеопатии, однако и тут существует много «но».

Пупель молчала. Она плохо разбиралась в делах житейских. Однако она ясно поняла, что жить им не на что. Вспомнился ей последний визит к маме. Пупель сморщилась, припоминая все, что она кричала маме про книжки, про самостоятельность и вообще.

— Пойди к родителям, попроси денег, — предложил Погост.

— Я не могу туда идти, — прошелестела Пупель.

— Как знаешь... — Погост был крайне недоволен. Он уселся в кресло, открыл Штейнера, всем своим видом показывая, что общаться на эту тему больше не намерен.

Пупель ушла на кухню. Села за стол, и слезы, как говорится, хлынули у нее из глаз. Она плакала громко, с завываниями, сначала от жалости к себе, потом надеясь привлечь внимание Погоста. Ей хотелось, чтобы он прибежал на кухню, вытер слезы с ее лица, успокоил, сказал, что все это глупости, что они вместе найдут выход из этой чепуховой ситуации. Как мало тогда знала она своего мужа! Погост, естественно, на кухню не пошел. Зачем? Подумаешь, кто-то плачет?

Но именно в этот момент, Пупель это очень хорошо запомнила, раздался телефонный звонок. Естественно, Погост трубку не взял, ему никто никогда не звонил, Пупель подошла к телефону, наспех вытерев слезы.

Звонила Магда. Оказывается, кто бы мог подумать, у Магды с Нового года остался ее телефон. Пупель очень обрадовалась звонку. Не сдержав эмоции, опять разрыдавшись, она попросила Магду о встрече.

— Но только по некоторым обстоятельствам я не могу пригласить тебя к себе, — жалобным голосом лепетала Пупель.

— Приезжай ко мне, — спокойно сказала Магда.

— А когда? — с надеждой спросила Пупель.

— Сейчас.

Вот так и началась их дружба. Потому что пословицы на самом деле не врут.

И может, в этих самых пословицах все несколько прямолинейно и простовато, но по сути — так оно есть, и друзья, как правило, познаются в беде, и если даже не в беде, то в неприятностях, это уж точно.

Пупель ждало много открытий. Она приехала к Магде в Новые Черемушки. И оказалось, что Магда жила с мужем Кириллом Владимировичем, о существовании которого Пупель была ни сном ни духом. Крошечная двухкомнатная квартирка была до отказу забита книжными полками. Стеллажи были даже на кухне. У Магды было очень чисто, что тоже не было характерно для квартир с таким обилием книг. Кирилл Владимирович, Кирюша, как его называла Магда, находился в маленькой комнатке, за огромным столом, заваленным книгами. Он улыбнулся Пупель, такой доброй милой улыбкой, пробормотал:

— Очень приятно, одну минуточку, — и углубился в какую-то толстую книгу.

Пупель и Магда уселись на крошечной уютной-преуютной кухне. Магда поставила кофейник на плиту. От всей атмосферы, от теплоты и покоя Пупель моментально размякла. Ей почему-то сразу захотелось кинуться к Магде на шею и запричитать: «Магда, миленькая, помоги мне, я запуталась, мне так плохо, я не знаю, что делать. Ты меня поймешь, ты все понимаешь, я это чувствую».

Но Пупель этого не сделала. Она молча сделала глоток вкусного крепкого кофе и смахнула слезу.

— Что случилось? — В глазах Магды было беспокойство.

Тут Пупель прорвало, и она буквально за десять минут вывалила Магде все, все, что накопилось у нее на душе.

Магда внимательно выслушала ее. Как ни странно, она не стала делать никаких комментариев по поводу поведения Погоста.

— Объявления писать можешь? — внезапно для Пупель задала она вопрос.

— Какие объявления?

— Шрифтом можешь писать?

Пупель задумалась. Они проходили шрифты в высшем художественном заведении. Это задание как раз выходило у нее неплохо.

— Пожалуй, могу, а что?

— Тогда, считай, работа у тебя будет.

— Не понимаю.

— В университетском профкоме всегда требуется художник-оформитель. Я поговорю, будь готова.

Как Магда умела быстро решать проблемы, казавшиеся Пупель неразрешимыми!

— У меня будет работа, у меня все хорошо, у меня есть Магда, — настроение Пупель резко подпрыгнуло.

— Как твои дела в университете? — начала расспрашивать Пупель.

Оказалось, что Магда уже не учится в университете.

— Я Наде ничего не говорила. Неохота. Она на Новом году начала всякие байки плести, а мне как-то было все равно. Да и чего рассказывать?

Сначала перевелась на вечернее и работала в профкоме, потом с вечернего ушла.

— Почему? — спросила Пупель.

— Кирюша в аспирантуру поступил, денег вообще не было.

— Ты сейчас работаешь в профкоме?

— Нет, я оттуда тоже ушла.

— А где ты теперь?

— Теперь я в одном изумительном месте, — с сарказмом проговорила Магда.

— Секретная работа?

— В общем-то, да, хотя я не давала подписку о неразглашении, но место не для слабонервных, — Магда опять улыбнулась своей загадочной улыбкой.

Пупель заинтересовалась, но постеснялась допытываться.

Может, потому, что у Пупель на лице читался неподдельный интерес, а может, Магде самой захо-

телось выговориться, она начала потихоньку, снача-
ла с паузами, а затем сплошным потоком рассказы-
вать о своей работе.

— У нас в профкоме заведующая Зинаида Павлов-
на, тетка такая занятная, ко мне расположилась.
Я ей как-то сказала, что хочу с профкома отвалить,
денег не хватает. Зинаида репку свою почесала, а по-
том говорит: «А не хочешь к моей Милке в домработ-
ницы?» Милка — это Зинаидина дочка.

— Ты работаешь уборщицей у дочки Зинаиды Пав-
ловны? — с удивлением спросила Пупель.

— Да. Четыре раза в неделю.

— А что, разве уборщицы хорошо зарабатывают?

— Это зависит от хозяев, у которых они убира-
ют. Мои хозяева на деньги не скупые.

— А они где работают?

— Милка нигде не работает, с детьми сидит, а
Тарас работает разбойником.

— Это как?

— Вот так.

— Он что, прямо так тебе и сказал, что работа-
ет разбойником?

— Конечно, он мне ничего не говорил, но это и ко-
ню ясно, без всяких слов.

— А как это ясно? — не унималась Пупель.

— Уезжает рано утром на тачанке с волыной в
кармане, а вечером возвращается на другой тачанке с
мешком бабла.

— Может быть, он военный музыкант?

— В душе, может, он и музыкант, а в миру — чис-
тый убивец.

— Ты же сказала, что у тебя работа хорошая? —
не унималась Пупель. — А это же жуть какая-то. Ты
не боишься?

— А чего мне бояться? Я же у них пол тру, что с меня взять? Работа пыльная, зато оклад министерский, и к тому же я могу распоряжаться своим временем, вот Кирюше материалы подбираю, он диссертацию скоро защитит.

— А он-то как относится к тому, что ты в зоне риска пребываешь четыре раза в неделю?

— Я его в курс дела не вводила. Сказала, что в профкоме теперь зарплаты стали большие выдавать.

— Поверил?

— Все его бытие находится в этих «Житиях», — сказала Магда, показав на толстенную, заложенную множеством закладок книгу, лежавшую на табуретке.

— Что это такое? — заинтересовалась Пупель.

— Это «Жития русских святых и юродивых».

— Наверное, только святой человек ради мужа готов пойти на съедение к разбойникам.

— Глупости не говори, — возмутилась Магда, — просто всегда необходимо чем-то пожертвовать ради чего-то.

— Вы давно вместе?

— Мы поженились, как только я окончила первый курс.

— Ну, надо же, мы тоже с Погостом.

— Я думаю, все утрясется, — сказала Магда, — ты сейчас успокойся, вот послушай, какой замечательный текст, это из «Жития юродивых».

— Ты думаешь, мне это в тему, в смысле ты считаешь меня юродивой?

— Нет, Пупель, не мни о себе, послушай лучше, какая красота.

Магда начала читать.

— Бы некий муж уродивый Христа ради именем Прокопей, живяще в паперти у церкви святыя Бого-

родица, честнаго Ея Успения, пища ж и одежди нико-
ко ж о том печаашеся и от приносящих к нему нико-
ко ж приимаше, имяше бо в себе прозор Божия явле-
ния множеству людей, прихощу на праздник в собор-
ную и апостольскую церковь честнаго Ея Успения.

Возвести бывшее видение ему всем людем, глаголя:
«Аще не покаетеся грехов своих и Господа Бога не умо-
лите за беззаконние ваше, то зле погибнет град сей».
Яко ж пророк рече, возвах, неслушасте и невнимасте,
одебеле бо сердце люди сих, ушима тяжко слышаше и
очи свой смежина. Видев же блаженный он муж непо-
слушание люди тех, рыдая и плачася непрестанно о по-
гибели града того. И приходящи глаголюще нему: «Что
плачеши непрестанно?» Он же глаголаше им: «Бдите и
молитеся, да не вниде в напасть».

Не надо плакать, плакать только не надо.

Вот и день уже на прибыль. Вот и на небе ко-
рабль. Он плывет сюда неспешно,
Он плывет сюда на радость, он плывет сюда. И
что же?
Я как будто его вижу, Я прищуриваюсь Уже,
Я приглядываюсь глубже, И почти что уже вижу
Эту мачт простую кратность, вот становится он
ближе,
Разрывая непонятность. С каждым мигом бли-
же, ближе.
В серый день плывет корабль. По небу плывет,
качаясь.
Я, конечно, огорчаюсь, но теперь уже не плачу.
Я, конечно, им любуюсь и, конечно же, надеюсь,
что корабль — не случайность, что везет он мне удачу.

Глава 10

На поверхности Меркурия
встречаются огромные пропасти.

И хотя Пупель казалось, что с Марком расставлены все точки над «i», он все равно звонил. Он звонил не каждый день, но достаточно часто, предлагал встретиться, все обсудить с глазу на глаз. Он орал, он уговаривал. Пупель стоически держалась, встречаться отказывалась, по возможности старалась не раздражаться. Как правило, все их беседы заканчивались плохо. Каждый раз Пупель думала, ну вот и все, теперь больше не позвонит.

Но не тут-то было.

Пупель возвращалась от заказчицы, проект гостиной был готов, гора с плеч свалилась, на душе весело щебетали птички. Она предвкушала, как быстро что-нибудь съест, усядется за свой стол, зажжет лампу, а там...

Еще из-за закрытой двери Пупель услышала продолжительный телефонный звонок. Не раздеваясь, она кинулась к телефону. И нате вам, здрас-сте, напоролась на Марка.

— Ты своего счастья не понимаешь, — с ходу за-бубнил Марк. — Сейчас я нахожусь практически на пороге очень большого заказа. Сусанна договори-лась с Симом, мы с ним встретимся, я сделаю ему такое предложение, от которого он не сможет отка-заться.

«Почему все все время цитируют эту фразу из мафиозного фильма? — думала Пупель. — Почему она так прижилась у нас?»

— Это будут очень большие деньги! — упиваясь, голосил Марк

— Я рада за тебя, Марк, — равнодушно проговори-рила Пупель.

— Я не к этому тебе говорю. Возникнут новые возможности, хочешь, я дам денег, чтобы напеча-тать твои рассказы.

— Ты ведь их никогда не читал, Марк, может, они бы тебе и не понравились.

— Причем тут понравились — не понравились? Мы вложим деньги.

— Спасибо, Марк, но мне этого не надо.

— Что значит не надо? Ты же их писала не для того, чтобы они валялись в столе?

— Понимаешь, Марк, я не хочу печатать свои рассказы за твой счет.

— Тогда давай дорого оформим твоих осликов и впарим Сусанне.

Пупель хихикнула.

— Что тут смешного? — возмутился Марк.

— Какой-то круговорот вещей в природе. Сусан-на будет впаривать вашему магнату ангелов, на деньги от продажи ангелов мы будем оформлять моих осликов, чтобы впарить их Сусанне, которая в свою очередь будет их таскать магнату, и все это будет в темном чулане храниться в доме, который построил Сим? Так его вроде зовут?

— А что в этом такого? У человека есть деньги, есть вкус.

— Уволь меня от этих прожектов, Марк, я не хочу ни печатать рассказы, ни оформлять осликов за твой счет, я хочу все решать сама.

— Теперь мы фемисточками стали, теперь мы поем песенки о самостоятельности и самодостаточности. Ты думаешь, теперь ты свободна, эмансипированная моя Пупель? Ты ошибаешься, моя сладкая, ты никогда не будешь свободна, ты человек ведомый. Сейчас ты поешь под дудку своей гонористой подруги, которая тебя до добра не доведет. У нее, наверняка, на тебя есть виды, эта сука еще та, скорее всего она замаскированная лесбиянка, недаром ее бросил муж. И глазом не успеешь моргнуть, Пупочка, как уже будешь лежать в ее постельке и удовлетворять ее эстетские потребности, только выдержат ли твои слабые нервишки, вот в чем вопрос, как на это все отреагирует твоя неустойчивая психика? Как бы тебе не сорваться?

Ярость охватила Пупель. «И с этим человеком я провела столько времени?» Мысль молнией проскользнула у нее в голове, при других обстоятельствах она никогда бы не произнесла вслух такое. Но сейчас, услышав мерзкие слова в адрес Магды, Пупель спокойно сказала:

— Ты кто такой, Марк Коняшкин? Какое право имеешь ты, ничтожество и бездарность, оскорблять близкого мне человека? Беги, впаривай своих ангелов, пока на них есть еще спрос, получай деньги, клади их под матрац, питайся старой коркой сыра, жабись, экономь. Скоро лафа закончится, все люди будут осчастливлены. У каждого дома или в офисе будут стоять твои клоны — ангелы, больше не останется неохваченных людей, но дело в том, что бронза очень прочный материал, а моделька одна и та же, не менять же шило на мыло каждые пять лет.

Выговорив это все, Пупель замолчала. В трубке тоже было тихо, только слышалось сопение. Видимо, Марк набирал воздух для ответного удара.

Хриплым, срывающимся голосом он прокричал:

— Какая же ты мразь, Пупель, я желаю тебе и твоей лесбийской подруге всяческих неуспехов! Надеюсь, они начнутся у вас очень скоро!

Трубки были брошены практически одновременно.

Пупель стояла в пальто посередине комнаты.

«Все-таки я ему это сказала», — думала она. В первый раз в жизни она ясно и четко выразила свою мысль, без всяких язвительностей, намеков, полунамеков, она сказала то, что думала. Это радовало. Конечно, неприятный осадок присутствовал. Хриплый голос Марка до сих пор звучал в ушах.

— Пусть думает что хочет, больше он точно звонить не будет, — выговорила Пупель вслух, снимая пальто.

Гордая собой, немного потрепанная словесной битвой, она направилась на кухню и включила чайник. Опять зазвонил телефон.

«Это опять он, не все гадости выплюнул, решил доплюнуть, — подумала Пупель и поначалу решила трубку не брать. — А почему, собственно говоря, я теперь такая, хочет еще получить? Получит».

— Алле, — ледяным голосом проговорила она в трубку.

— Работаешь? — Это была Магда.

— Только ввалилась, чай сейчас буду пить.

— Ты там не рассусоливай, попей да и садись, надо добивать.

— Я только что добила Марка.

— В смысле?

— Все ему высказала по полной, теперь он больше звонить не будет.

— Молодец, нам его звонки не нужны.

— Он по всей Москве теперь будет звонить, какие мы сволочи.

— Я тоже в вашей беседе присутствовала?

— Да.

— Пусть звонит в колокол, а на голове чешет кол о кол, — гугукнула Магда.

Пупель захохотала, и сразу осадок от разговора с Марком отлетел от нее, как луковая шелуха в помойное ведро. Так зашуршал, зашелестел и отвалился.

— Ты давай поторапливай, заканчивать пора.

— Я сегодня гостиную сдала, все, теперь буду писать со скоростью света.

— Слова эти ласкают мой слух, — проговорила Магда. — Позвонишь в перерыве, почитаешь?

— Конечно, — проговорила Пупель, глотнув горячего чаю.

«Пупель — стоик — перипатетик», — раздался голос Устюга.

— Ты слышал?

«Наслаждался, ты — настоящий боец — правдолюб».

— Гордишься мною?

«Отвержение, уединение, созидание, ты мне напомнила одного моего любимого героя».

— Какого?

Устюг начал рассказывать без подготовки и предуведомления.

Четвертый рассказ Устюга о городе Пермолоне

С некоторых пор в городе Пермолоне стали такие события случаться, такое начало происходить. Ох, просто жуть, просто неизвестно что. С этими всеми делами люди абсолютно покой потеряли, есть не могут, пить боятся, те, кто ест, пропадают неизвестно куда. Вот был человек – и вот нет человека. Президент во вкус вошел, что ты с ним будешь делать? Он все дальше и дальше копает, все дальше и дальше усовершенствует, теперь не только с едой такие проблемы, теперь и с одеждой пошло, кто как одевается, тут тоже врагов нашли кучу, потом взял, опля, и на самое святое посягнул, на путешествия. Говорит, мало ли, что раньше все ездили, раньше было раньше, раньше и врагов у нас не было, а теперь у нас везде под каждым кустом. Теперь этим буду непосредственно заниматься я сам и те, кто в палатах остался. А кто там в палатах остался, курам на смех? Раз-два и обчелся. Да и что действительно говорить, остались самые такие, которые ни под еду, ни под питье, ни под одежду не попали. Самые хитрые и изворотливые остались. А президент такую штуку учудил.

Он всех заставил за разрешениями к нему ходить, он, типа, сам будет решать, кому можно путешествовать, кто может хорошие, нужные капусы писать, а кто ни в коем случае. Народ напрягся, видит, дело пахнет керосином, можно довыпендриваться, допрыгаться до смерти можно. Решили, что же теперь, и хоть это наш национальный вид спорта, и мы с незапамятных времен катались и писали, ну что же, всему приходит конец, страшно ходить за этими разрешениями. Там ведь сначала надо было собеседование пройти. А мало ли что спросят. Никто ведь не знал, сегодня можно есть и пить, или сегодня это категорически запрещено. А вопросы конкретные задавались. Есть хотите? Просто так промычать что-либо нельзя, а только да или нет. Вот все и сидели так – нос не высовывали, свет не зажигали, ели как-то кое-как, когда придется, как фишка ляжет. И, в общем, все неплохо было, но немного тяжеловато из-за неопределенности. Народу сильно поубыло. Просто как коса по полю острая прошлась по жителям Пермолона. А главное, делать-то что? Никто не знает.

Жил в городе Пермолоне один дядя. Звали его Бекар. Дядя умный-преумный. Много в жизни повидал, капусы у него были просто чумовые, просто удивительные вещи писал. Немолодой был уже. Семья у него была. Жена, дети и даже внуки. Вот он однажды говорит своей жене. Жену Люся звали. Он ей говорит: «Люся, жизнь наша стала просто невыносима, что это за жизнь? Это жалкое подобие, это черт-те что. Выход из этой ситуации есть только один, надо уматывать из Пермолона, пока целы, у нас все-таки дети, внуки». А Люся ему говорит: «Куда же нам можно умотать, ведь для того, чтобы умотать, надо на беседу с президентом идти. А он нас не отпустит ни за что. Ты свет жжешь, и соседи уже на нас косо смотрят, и в магазине ты вчера хлеб брал днем. Нет, нас ни за что не выпустят, а будет еще хуже». Бекар ей говорит: «Я не об этом. Это я и сам понимаю. Я о другом. Есть за Пермолоном одно место, типа пещера, там, в глубине, река есть и кислорода там очень много. Я думаю, нам потихоньку туда надо перебраться, от греха подальше». Люся как женщина, мать и бабушка, конечно, испугалась, говорит ему: «Что же мы там будем делать, в пещере-то этой? Всю жизнь жили в Пермолоне, родители наши тут жили, и тут с бухты-барахты должны в пещеру перебираться, ну и что, что там есть вода и кислород, кроме этого ведь еще для жизни кое-что надо». Бекар ей говорит: «Вот ты вроде бы умная женщина, Люся, вот ты большую жизнь прожила, вот у тебя дети и внуки есть, а говоришь ты полную чушь. Вода и кислород, это все, что нужно для жизни, это каждый младенец понимает». Люся подумала так и говорит: «Бекар, ты прав, давай перебираться».

Легко сказать «давай перебираться», а сделать это ох, как непросто. С насиженного места-то, да еще делать это незаметно, чтобы соседи ничего не заподозрили.

Много времени на это все ушло. Во-первых, путь неблизкий, во-вторых, всякое другое. Ну, в общем, потихоньку-полегоньку, неимоверными усилиями отъехали. Соседи не удивились. Просто в одно прекрасное утро никого в доме не оказалось. Соседи подумали, что это чу́дное семейство не правильно сориентировалось по поводу есть — не есть. Это часто случалось. Тем более Бекар вел себя как попало, продукты покупал, свет жег, одевался не как положено. Они подождали несколько дней, потом в их дом залезли и все, что Бекар с Люсей не смогли в пещеру утащить, себе прибрали.

А в городе Пермолоне жизнь все круче и круче заворачивала. Страх.

Жуть кошмарная. Словами не передать.

В пещере же, наоборот, жизнь потихоньку начала налаживаться, так, мало-помалу. Бекар и его сыновья очень умные были, и руки у них были как надо заточены. Самое интересное, что к ним народ стал подтягиваться. Откуда узнавали? Никто понять не мог. Семья Бекара никому ничего не рассказывала. Они и из пещеры-то не выходили, опасались, полностью сконцентрировались на внутренней жизни. Потом им не до этого было, не до вылазок всяких. Надо было новое жилье обустраивать. Однажды поздним вечером сидели они, ужинали, вдруг, смотрят, мужик какой-то идет. Они все напряглись. Думают, ну вот и здесь нас нашли.

Оказывается, ничего подобного. Дядька этот пришел жить проситься. Бекар ему говорит, у нас тут жизнь не ахти, все время надо что-то благоустраивать, все время суетня, комфорта нет никакого. А мужик говорит: «Все, все буду делать, только можно с вами остаться?» Бекар ему говорит: «У нас тут, конечно, не очень удобно, но если ты все будешь делать, то пожалуйста».

Мужик остался. Потом, по прошествии некоторого времени, еще семья одна пришла с детьми. Потом еще и еще. Никого не прогоняли, принимали, помогали, чем могли. А эти вновь пришедшие тоже старались что есть сил. Постепенно народу набилось много. Откуда они узнавали о пещере, никто не знал. А спрашивать как-то неудобно было. Новенькие страшные ужасы рассказывали, такие вещи, уму непостижимые.

В это время в Пермолоне совершенно неожиданное событие приключилось. Президент помер. Подавился костью и в одночасье капут-мортум у него случился. Все прямо обалдели, даже плакать начали, а некоторые просто волосы на себе рвали. Помер наш президент, как же теперь мы без него жить-то будем? Но не очень долго плакали, так поплакали, поплакали, и потихоньку все на нет сошло. А руководить-то народом надо же кому-то. Решили нового президента выбирать.

Был в палатах один дядя. Пережил все примочки старого президента. Он говорит, меня выбирайте, не пожалеете. Со мной вам очень даже хорошо будет, за мной вы как за каменной стеной будете. Все так прикинули и думают, может, правду говорит, все-таки каким-то образом ему удалось выжить.

И вообще – вроде бы он ничего себе и выглядит прилично. Взяли и его выбрали. А как только его выбрали, он говорит, все это, что при прежнем президенте было, – отменяется. Все это пурга была, все эти питания, разрешения, все это надо псу под хвост выкинуть, наплевать и забыть.

Люди думают, а это неплохо, столько неудобств с предыдущими делами было, а этот правильно говорит. Обрадовались, спрашивают его, что же теперь можно есть когда угодно? Он отвечает, улыбаясь в усы, когда хотите, тогда и жрите, что хотите, то и хавайте. Тут прямо радость такая по всему Пермолону покатилась. Спрашивают – а в фонтаны воды можно налить? Он говорит – валяйте, только деньги плати-

те, все можно, только оплачивайте услуги. Тут пермолонцы осмелели и новому президенту главный
вопрос решили задать, – а с врагами типа, что у нас?
Кто у нас теперь враги?

Задали вопрос этот, потому что ведь важно
знать, чтобы потом не париться и голову себе не
ломать. И тут новый президент вообще всех уди-
вил, он так сказал – вы пока так поживите, а там
видно будет, кто у нас враги. Пока точно сказать
не могу. Поживите пока без врагов немного, от-
дохните. Люди просто очумели, прелесть-то какая, и то и се можно, и без врагов можно манек
передохнуть. И тут на таких радостях они спрашивают, так, для очистки совести, а путешествия?
Президент улыбнулся опять и говорит: «Куда хотите, туда и валите».

Ну что так не жить? Это же сказка, это чудо чудное, диво дивное.

Вести эти докатились и до пещеры. Прибегает
один мужик в пещеру и Бекару, запыхавшись, вон
говорит, ну дела, говорит, вам теперь можно обратно возвращаться, новый теперь в Пермолоне президент, все разрешает, жизнь теперь будет слаще са-
хара. Давайте собирайтесь. А Бекар в это время с
людьми плотину на пещерной реке сооружал. Он так
посмотрел на пришедшего мужика и говорит, поживем – увидим. И дальше продолжил делом заниматься. Мужик удивился. Говорит: «Что же вы тут будете в темноте под землей сидеть, когда теперь
можно в покое в чудо-городе Пермолоне проживать». А Бекар ему: «Почему в темноте?» И включил
какую-то дрюку. Вся пещера осветилась ярким, ровным светом, и ветерок задул, типа вентиляция. Мужик подивился на все эти дела, говорит: «Ну, не хо-

тите, как хотите. Если что, в гости к нам приходите». Бекар ему: «Нет уж, лучше вы к нам». На том и порешили.

История Пупель

Пупель работала в поте лица. Писала заголовки и рисовала агитационные плакаты, ходила в Высшее художественное заведение, делала курсовые проекты. Магда сдержала свое слово.

Работа у Пупель была. Благодаря ее скромным доходам молодая семья не подыхала с голоду. Конечно, ни о каких излишествах речи не шло. Денег Пупель едва-едва хватало на прожитье.

Погост даже и не думал заводить частную практику. Он говорил, что не до конца изучил еще векторность гомеопатии. Нельзя сказать, что он очень сильно напрягался по поводу этой самой пресловутой векторности. Он по-прежнему читал свои книжицы, вальяжно расположившись в кресле, до ужаса прокурив всю небольшую квартиру Пупель.

Все было бы ничего, если бы он просто молча сидел и читал. Это было бы замечательно. Кошмар весь заключался в том, что он своим долгом считал учить уму-разуму свою глупую женушку. За неимением пациентов он лечил несчастную Пупель. Когда она, бедолага, притаскивалась из высшего художественного заведения и принималась за объявления, то Погост как раз начинал свое лечение. Он орал:

— Что ты уселась, у нас жрать нечего, ты бы сначала обед приготовила, а потом уж за эту пургу принималась!

Пупель вяло возмущалась, вякала, что ей некогда. И тут, в зависимости от расположения звезд на небосводе, от дуновения ветра, сценарий разворачивался по-разному. Первый, лучший вариант: Погост долго орал, потом сменял гнев на милость и спокойно говорил:

— Пупель, нам надо нормально питаться, будь любезна, приготовь покушать, мне принеси и сама поешь.

И Пупель принималась что-то изготовлять. Худший вариант был нервно-паралитического свойства.

Погост начинал орать и с бешеной злобой колотить кулаками в стену, потом становился пунцово-зеленым и бежал с молотком и огромными гвоздями в ванную. Там со всей дури он начинал заколачивать эти чудовищные гвозди в дверной косяк, в кармане его халата именно для этих сцен был припасен кусок старого резинового эспандера. Этот длинный шмат Погост приматывал к гвоздям.

— Жизни от тебя нет! — голосил он. — Сейчас повешусь, к чертовой матери, ну женку Господь послал, со свету меня сживает, жрать не готовит, дом весь запустила, грибы тут только не растут! — И далее по плану происходило засовывание головы в петлю эспандера.

Обычно на этом драматическом моменте Пупель не выдерживала, вереща, кидалась к нему, уговаривала не вешаться. Он, как правило, долго упрямился, костеря ее на чем свет стоит, потом снисходил до прощения и требовал незамедлительного приготовления пищи.

Почему этот вариант был хуже первого? Потому что Пупель приходилось брать клещи, выдергивать гвозди из косяка, закидывать эспандер за шкаф и по-

том только приниматься за приготовление пищи, время на развернутую сцену уходило в два раза больше. Времени же Пупель катастрофически не хватало.

После ужина Погост требовал ритуальной медитации, которая в начале их совместной жизни как-то приводила Пупель в чувства, а впоследствии безумно раздражала, и только после всего этого веселья она могла сесть за работу.

Погост тем временем, сидя в кресле, зачитывал из книги всяческие умности и требовал от нее дословного этих умностей пересказа, задавал вопросы, так сказать, на усвояемость текста. Если Пупель отвечала формально, то он начинал покрикивать и раздражаться.

Пупель каждый раз благодарила Бога за то, что он наградил ее очень хорошей памятью. Она могла с ходу повторить абсолютно непонятный текст практически дословно, не вникая в содержание. Это ее и спасало.

Она писала объявления, повторяя вслух цитаты из Штейнера, иногда, правда, случайно они, цитаты эти проклятущие, попадали в объявления, не целиком, а так, слово другое, машинально под диктовку Погоста. Поначалу это приводило Пупель в отчаяние. Ей приходилось начинать работу заново, расчерчивать лист и всякое такое, но со временем, как известно, опыт приходит только в процессе, она и эту проблему научилась решать легко и просто.

Пупель обзавелась огромным количеством лезвий «Нева». Изумительная вещь. Одним движением руки она элегантно вырезала с листа кусок Штейнера, и дело было в шляпе. Все эти упражнения происходили до глубокой ночи, причем Пупель намерен-

но затягивала процесс. Она каждый раз надеялась, что Погост, утомившись чтением и вопросами, вдруг заснет на полуслове. Этого никогда не происходило. У Пупель слипались глаза, она все чаще и чаще пользовалась лезвием «Нева». Погост всегда был ни в одном глазу. Неутомимый был человек, кремень. Весь день он, по его собственным словам, готовился к медитациям. В переводе на простой человеческий язык, днем Погост дрых.

О себе он говорил пафосно:

— Я типически объективная прирожденная сова.

Так как у Пупель были очень поверхностные знания о совах, она решила их расширить, мало ли что?

В энциклопедии Брокгауза и Ефрона она вычитала, что большинство сов — действительно настоящие ночные птицы, многие из них свободно летают даже в совершенно темные ночи, о чем можно судить по их крику. Полет сов вполне беззвучен и позволяет им совершенно незаметно подлетать к спящим жертвам. Некоторые совы, такие, как сыч (Athene noctua) или сипуха (Strix flammea), — охотно селятся под крышами домов.

Из почерпнутых энциклопедических сведений Пупель сделала вывод, что Погост как раз является или сычом, или сипухой. Все признаки были налицо, ночные крики, незаметное подкрадывание к жертве, и самое главное, он действительно поселился под ее крышей.

Точно определить, кто он — сыч или сипуха, было трудно. Порой он вел себя как сыч, а иногда выглядел сипуха сипухой. Тут, как и с едой, было два варианта, которые Пупель так и называла. Первый вариант — сыч. Второй — сипуха.

Ближе к утру Погост говорил:

— Я думаю, на сегодня нам достаточно, мы уже многое почерпнули, и теперь пора расслабиться.

Пупель быстро ложилась в постель и моментально засыпала. Погост незаметно подлетал к спящей жертве и начинал ее терзать. Тут жертва оказывалась бессильна, она мучилась, страдала, претерпевала. Сцена эта была жуткая и неприятная, но все же вариант «сыч» был менее болезненный и по времени менее протяженный. Вариант «сипуха» был ужасен и безобразен до мерзости. Пупель ложилась в постель и не успевала заснуть. Тут прилетал сипуха, он пытался захватить жертву. Жертва, так как она не была спящей, сопротивлялась, умоляя ее пощадить, дать покоя и сна. Сипуха — Погост сипел, хрипел, вскакивал с кровати, выбегал на кухню, угрожал поджечь дом, стучал в стены, кидался чем под руку попадет.

В финале сипуха вылетал на улицу и там пугал народ. По прилете, под утро, добившись своего, утихомирившись, Погост засыпал крепким сном, а Пупель отправлялась в Высшее художественное заведение, где клевала носом на лекциях.

Я исчезла без следа. Вероятно. В голове одна вода.

Все невнятно. Пусть все будет так, как есть. Невозможно.

Это мысли полились. Осторожно!

Глава 11

Меркурий был известен с давних времен.
Греки дали этой планете два имени:
Аполлоном они называли ее
как утреннюю звезду,
и Гермесом как вечернюю.
Греческие астрономы знали, однако,
что эти два имени носит
одно небесное тело.

Вы когда-нибудь бывали в офисе Сима Красповица? Навряд ли. Туда не так-то легко попасть, хотя это не закрытый объект и, в принципе, почему бы и нет? Старинный особняк, желтое здание с портиком и белыми колоннами, в самом центре Москвы, в узком кривом переулочке, небольшой садик, чугунная ограда. Очень приятное место. Тихо, спокойно, красиво, классицизм ласкает глаз.

Этот тип архитектуры как бы говорит — все должно быть просто, понятно: вот база, вот колонна, вот антаблемент, вот портик, на нем лежит двускатная крыша, а что еще? Желтый цвет умиротворяет, а белые колонны придают этой умиротворенности нарядность и торжественность.

Магда много раз проходила мимо этого места, даже не подозревая, что именно оно является гнездом могущественного мецената Красповица. Она долго готовилась к этому походу. Просчитывала все варианты, продумывала, во что одеться. Тут ни в чем нельзя было ошибиться. Она решила, во что бы то ни стало понравиться Красповицу и максимально привлечь его внимание к рукописи Пупель. Магда понимала, что задача стоит не из легких. Второй попытки может и не быть.

— Поэтому, — рассуждала Магда, — мне просто кровь из носу необходимо его уговорить прочитать рукопись. — В том, что рукопись Красповицу понравится, она не сомневалась. — Если он такой, как о нем говорят и пишут, такой особенный, глубоко понимающий, ему не может это не понравиться. А если ему не понравится, то, значит, он не такой, тогда буду искать таких. Но почему-то мне кажется, что он такой, есть какие-то предчувствия.

В коричневой юбке чуть ниже колен, в изящных замшевых сапожках с пуговками, в каракулевом полушубке, вся такая из себя и вместе с тем строго, с элегантной папкой, купленной специально для этого визита, она открыла дверь особняка.

— Простите, вы к кому? — вежливо поинтересовался охранник.

— К Симу Савовичу.

— Пройдите в холл, на втором этаже, — опять вежливо произнес охранник.

Магда поднялась по мраморной лестнице и очутилась в небольшой зале, убранной со вкусом и особенной простотой.

«Пока мне все нравится», — рассуждала про себя Магда.

Не зная, сразу стучать в дверь предполагаемого кабинета или подождать, пока ей кто-либо займется, Магда присела в кресло и начала оглядываться.

На стенах висели две картины. Клод Моне и Сутин. В углу залы стоял закрытый рояль Stenway & Sons.

«Очень серьезная заявка, — думала Магда. — Он действительно похож на то». Никто не приходил, в зале было тихо. Наконец Магда решилась. Она встала, подошла к двери и постучала. Никакого ответного «да-да» или «войдите» не последовало. Магда приоткрыла дверь и зашла.

Просторный кабинет был пуст.

Огромные книжные шкафы до потолка, большущий письменный стол.

В глубине небольшая дверка в соседнее помещение чуть приоткрыта. Магда кашлянула. Никто не отозвался. Тогда она набралась смелости, подумав, будь что будет, направилась прямо к приоткрытой дверке и заглянула в соседнюю комнату.

Посреди комнаты лежал на животе огромный мужик. Он разглядывал какие-то картинки, разложенные на полу, как ребенок мотая ногой и хмыкая.

— Сим Савович? — обратилась к мужику Магда.

Мужик, не вставая, повернул голову в ее сторону и вопросительно кивнул.

— Магда, — представилась Магда.

— Вот, Магда, любуюсь, но сомневаюсь, — как ни в чем не бывало начал рассуждать мужик.

— В чем сомнение? — участливо поинтересовалась Магда.

— Говорят, подлинный Атлас Меркатора, красиво сделано, все двенадцать гравюр, но...

«А мне сегодня действительно везет, бывают все-таки удачные деньки», — подумала Магда.

Дело в том, что старинные географические карты были безумной страстью ее бывшего мужа Кирюши. В связи с этим Магда тоже глубоко копнула и в этом вопросе была докой, экспертом, знала не понаслышке. Сколько вечеров провела она, изучая литературу по старинной картографии, и, кто бы мог подумать, время ее не было потрачено зря.

«Все когда-нибудь пригождается», — рассуждала про себя Магда, рассматривая из-за лежащего Красповица разложенные на полу гравюры.

— Можно взглянуть? — спросила она.

— Да, конечно. — Красповиц немного подвинулся и пригласительно махнул рукой.

Магда хихикнула, она представила себе, как уляжется рядом с Красповицем на пол и как он закинет ногу на ногу.

— Посмотрите, — приглашал ее лежащий Красповиц.

Магда подошла поближе, присела на корточки и стала внимательно разглядывать гравюры.

— Первый, говорят, атлас Меркатора, 1637 года. Двенадцать листов, — опять заговорил Красповиц.

— Врут, — резюмировала Магда.

— И я так думаю. А вы основываетесь на чем-либо или просто чутье?

— Первый атлас Меркатора «Новое и наиболее полное изображение земного шара, проверенное и приспособленное для применения в навигации» был выполнен на восемнадцати листах в 1569 году.

— Вот и я чуял подвох какой-то, откуда же тогда этот 1637-й?

— В 1604 году наследники Меркатора продали права на издание атласа и его медные доски амстердамскому картографу и издателю Хондиусу, который сам, а потом его сыновья, переиздавали атлас. После 1604 года атлас уже назывался Меркатора — Хондиуса.

— Хондиусом тут даже не пахнет, никаких следов Хондиуса не видать.

— Тут не только Хондиуса нет, тут нет главного.

— Это чего же?

— Отсутствует карта «Тартария».

Красповиц резко вскочил с пола. Магда от неожиданности шарахнулась в сторону. Стоя он казался просто великанищем. Грубые черты лица, нос картофелиной, бритая голова, борода с сединой, протертые джинсы, какая-то не то хламида, не то толстовка, правда, ботинки дорогие, из мягкой кожи.

«Вот чудо-юдо, шкаф — мамонт, а глаза добрые», — про себя отметила Магда.

— С этого места поподробнее, — проговорил Красповиц, приглашая Магду присесть на диван.

— Что конкретно вас интересует? — Магда с достоинством уселась и улыбнулась.

— Какая такая карта «Тартария»?

— Карта, созданная Юдокусом Хондиусом для атласа Меркатора, впервые выпущенная в свет в Амстердаме в 1606 году. Она включалась во все издания атласа до 1638 года. На этой карте убедительно и правдоподобно показаны не только воображаемые города — Серпонов, Грустина и Тартар, но и земли, заселенные невиданными и ужасными племенами Гог и Магог, чье, по пророчеству, появление перед концом света приведет к уничтожению всего человечества.

— Гоги и Магоги уже давно переехали из тех заселенных мест сюда, вы считаете, конец света близок?

Магда подумала, что сейчас как раз наступил тот подходящий момент, когда можно приступить к делу, по которому она, собственного говоря, пришла к Красповицу. Можно, конечно, было еще поговорить о конце света, но беседа на такие темы, как правило, занимает очень много времени. Магда была абсолютно не в курсе о наличии времени у Красповица. Судя по его поведению, он никуда не торопился, но у странных людей странные причуды, от них всего можно ожидать. Магда решила все-таки начать.

— Сим Савович, — обратилась она к Красповицу, — я к вам пришла по одному делу.

— Точную дату конца света вы можете назвать? Я вижу, у вас хорошая память на даты, — продолжал развивать предыдущую тему Красповиц.

— Тут я затрудняюсь, Ньютон писал вроде бы 2060 год.

— Вы никогда не теряетесь, Магда, — Красповиц посмотрел на нее своими добрыми глазами. — Так по какому делу вы пожаловали, всезнающая Магда?

Магда улыбнулась и начала объяснять суть проблемы. Она достала из папки рукопись, подробно расхваливая все замечательные качества текста и сюжета.

— Кстати, — сказала Магда, — в рукописи есть очень своеобразная трактовка конца света, и страна, которая не указана ни в одном атласе. Мне кажется, это должно вас заинтересовать.

— Ваше произведение? — поинтересовался Красповиц.

— Нет, моей подруги.

— А почему вы принесли?

На этот вопрос Магда решила ответить с полной откровенностью.

— Видите ли, Сим Савович, — начала она, — моя подруга абсолютно плохо бы вам его приподнесла. Она что-то бы лопотала, может, по дороге передумала бы нести, в общем, я взяла это на себя. Я понимаю, конечно, что вы человек занятый, но очень вас прошу, может, вы выделите немного своего времени и прочтете роман?

— Может, и выделю, все может быть, — проговорил Красповиц.

— Сим Савович, как я узнаю о вашем прочтении? Могу ли я вам позвонить или зайти?

— Заходите.

— Недельки через две?

— Можно и через две. Расскажите мне еще историю с географией. Кстати, Меркатор — это имя или фамилия?

Магда опять улыбнулась.

— Открытия Колумба, Васко да Гамы, Магеллана не изменили бы представления человечества об окружающем мире, если бы не были осмыслены и оформлены в виде новой географии. Эту задачу выполнил Герард Меркатор, — произнесла она и направилась к двери. Она взялась уже за ручку, как вдруг дверь распахнулась, чуть не сбив ее с ног.

В комнату вошли одноклассница Магды Надя Коляева и Марк.

Магда выпучила глаза, увидев эту парочку. На минуту ей показалось, что она очутилась на том давнишнем Новом годе, для полной комплектации не хватало Пупель и Погоста.

— Сим Савович, — заговорила Надя, кинув быстрый пронзительный взгляд на Магду и слегка кивнув ей, — к вам Марк Коняшкин.

Марк злобно смотрел на Магду, никак не проявляя их знакомство.

— До свидания, Сим Савович, спасибо, — проговорила Магда и, протиснувшись между Надей и Марком, вышла из кабинета Красповица.

Настроение у Магды было испорчено. Она ломала голову, что тут делают Надя и Марк?

Стоять под дверью было и неудобно, и бессмысленно. Магда решила медленно, очень медленно двигаться к выходу. Она уже почти дошла до лестницы, как вдруг услышала, что дверь в кабинет Сима сначала открылась, потом опять захлопнулась. Магда сделала несколько шагов назад в сторону холла. Цокая каблуками, ей навстречу шла Надя.

— Привет, сколько лет, сколько зим, — заговорила Магда. — Что ты тут делаешь?

— Я-то здесь работаю, а ты откуда и зачем? — Надя была мила и доброжелательна.

Магда немного успокоилась, но до конца не расслабилась, мысли крутились у нее в голове.

— Как дела? — начала любезно интересоваться она.

— Все нормально. Ты совсем пропала, вообще никогда не звонишь, как Кирюша? — затараторила Надя.

— Кирюша объелся грушей.

— Да ты что? Вы расстались?

— Разбежались, а ты замуж не вышла?

— Мужиков нормальных нет, вымерли, как класс.

— Ты давно работаешь у Красповица?

— Да уже прилично, но тут тебе искать нечего, я сама поначалу думала, и так и сяк крутилась, бесполезно, мне кажется, он вообще женщинами не интересуется.

— Он что, пидор?

— Нет. Он вообще не по этому делу. Я думаю, он импотент, абсолютно асексуальный человек, и это при такой внешности мачо. Бабы вешаются на него, он полный ноль внимания.

— Я к нему по делу приходила.

— У него целыми днями тут люди топчутся. Что же ты мне не позвонила? Я бы тебя провела и представила как надо.

— Откуда же я знала, что ты у него работаешь? Мы же лет сто не разговаривали. А Коняшкина ты к нему притащила?

— Нет, представляешь, все возвращается на круги своя. Звонит мне тут Сусанка и говорит, что договорилась с Симом о встрече по поводу одного очень интересного скульптора — Марка Коняшкина. Думаю, ладно, поглядим, посмотрим. Притаскивается позавчера, мы с ним тоже сто лет не виделись, после той истории я вообще с ним не разговаривала. А тут встретились, он мне прямо на шею кинулся: «Наденька! — верещал. — Как я мог?» Его ведь Пупель-то бросила. Я ему тогда еще говорила, с этой придурочной не вяжись, она не в себе, и никогда не будет в себе, можно лечить, но это вылечить невозможно, ты там хлебнешь. Вот она его кинула, а он волосы на себе рвал, чем она их берет только, не понимаю? Ни кожи, ни рожи, совершенно безумна. Теперь Коняшкин мне каждый день названивает, приглашал в ресторанчик какой-то. Я пока ломаюсь, а то возомнит еще. Ой, телефон в моем кабинете, не пропадай, звони.

Надя побежала через зал и юркнула в небольшую дверь рядом с лестницей.

Магда направилась за ней. Она заглянула в комнату. Типичная секретарская, стол завален бумагами, шкафы, полки, тумбочки, ксерокс. Единственное, что было не характерно для такого рода помещений, так это роскошный ковер, с каким-то африканским мотивом.

«Все-таки чудной он человек», — подумала Магда. Стараясь не сильно наступать на африканскую красоту, она подпрыгнула к столу. Надя разговаривала с кем-то по телефону активно и очень подобострастно, все время приговаривая: «Да, да, я ему передам, обязательно, конечно, я этого не могу сказать, обязательно, даже не знаю...»

— У меня нет твоего номера, старая записная книжка потерялась, — прошептала Магда.

Надя протянула ей визитку

— Давай звони, — проговорила она одними губами.

Магда нацарапала на листочке свой телефон и удовлетворенная вышла из особняка.

История Пупель

Шло время, жизнь Пупель протекала. Что это была за жизнь? Мрак.

Она ни с кем не общалась, кроме Погоста. В дополнение ко всем своим замечательным качествам Погост еще был до ужаса ревнив. Он не хотел, чтобы Пупель ходила куда-нибудь. Исключением было высшее художественное заведение и работа. Тут он смирялся. Разговоры Пупель по телефону тоже грубо им пресекались. С Магдой общение случалось от случая к случаю. К Магде Пупель приезжала после скандалов. Та поначалу утешала ее, а впоследствии говорила, что надо резко рвать. Конечно, Магда была права. Пупель это понимала, но не делала.

Однажды, дело было перед очередной сессией, Пупель ничего не успевала, к экзамену по истории искусств не была готова абсолютно, а билетов было больше ста. Завалить экзамен значило бы не получить стипендию. Пупель была вся на нервах. Как можно за ночь выучить сто билетов по истории искусств?

Погост, напротив, пребывал в хорошем настроении, он читал книгу, что-то насвистывая.

— Пора нам расслабиться и отдохнуть, — проговорил он.

— Завтра экзамен, а у меня конь не валялся, а если завалю, стипендию не дадут, — сказала Пупель.

Потом она очень жалела о своем поступке. «Лучше бы экзамен завалила, — думала она. — Хотя, если он этим занимается, то какая разница, может и хорошо, что я теперь это знаю. И вообще, снявши голову, по волосам не плачут».

— Хоть один билет знаешь? — поинтересовался Погост.

— Что он мне даст, один билет?

— Есть у тебя один билет, который ты знаешь отлично?

— Ну, предположим, билет номер пятнадцать «Искусство Византии».

Погост дернул Пупель за волосы, вырвав большой клочок. От боли она взвыла. Выпучив глаза, отшатнулась от него. Погост держал в руках лезвие «Нева». Он схватил ее за руку и полоснул по пальцу, фонтаном хлынула кровь. То же самое Погост проделал со своим пальцем. Пупель замутило, она подумала, что Погост совсем лишился рассудка и решил покончить с ней, а заодно и с собой. Она закричала.

— Чего ты орешь, как резаная? — возмутился Погост.

— Я и есть резаная. — Пупель сжалась в комок.

Погост прижал волосы к своему кровоточащему пальцу.

— Я тебе помогаю, дурочка, — он приложил кусок волос и к ее пальцу, что-то бормоча. Потом завернул волосы в бумагу. — Завтра перед экзаменом вынешь, приложишь к сердцу, и все будет нормально. Ни в коем случае эту вещь не показывай, ничего никогда не рассказывай. Это достаточно серьезно. Могут твои близкие пострадать, твоя родная кровь, — предупредил ее Погост.

Пупель сдала историю искусств на отлично, ей попался билет номер 15 «Искусство Византии».

После этого случая страх не оставлял ее.

Иногда Пупель заходила к родителям. Там, в атмосфере уюта и покоя, чувствовала себя еще хуже. Она ничего не рассказывала им о своей жизни.

— Все нормально, — говорила она, — все в порядке.

Иногда ей хотелось прибежать в отчий дом, заплакать, зарыдать, выкрикнуть: «Помогите мне, спасите, я больше так не могу». Но Пупель понимала, что этого делать не надо, нельзя, ни в коем случае не рекомендуется.

Она ненавидела теософию. Имя Штейнера выводило ее из себя. Пупель больше не слушала вечерние чтения Погоста. Она нашла очень интересный ход. Во время чтения, когда Погост что-то ее спрашивал, она сначала долго ничего не отвечала, притворяясь, что не слышит его вопроса, затем якобы приходила в себя, говоря, что практически уже находится в астрале, видит розовые звездочки и слышит музыку сфер. Может, это и была ее музыка сфер.

Пупель вспоминала Максика. Это было что-то далекое, нереальное, из какой-то совсем другой жиз-

ни. *Картинки как живые вставали у нее перед глазами. Яркий весенний день, крутой берег реки, звенящий
воздух, голубые глаза улыбающегося Максика, его огромные руки, обнимающие ее нежно, но очень крепко.*

*Видя блаженную улыбку на ее лице, Погост ос-
тавлял ее в покое, продолжая читать. Но этот номер проходил не всегда. Иногда Погост требовал конкретики по поводу астральных выходов. Какие звездочки? Какая музыка? Пупель приходилось все это
придумывать. На лекциях в высшем художественном
заведении, в темном зале, под монотонный рассказ
лектора очень хорошо думалось и представлялось.*

*Там, в этом большом зале, где на экране вдалеке
мелькали мутные слайды, якобы иллюстрирующие историю искусств, у Пупель рождались фантастичес-
кие миры, неземные цвета и даже слышалась фантастическая музыка. Пупель записывала придуманные
истории в тетрадку, развлекая себя. Материалов
накопилось много. Тетрадки Пупель складывала к себе в стол.*

*Ежедневные катаклизмы с вешаньем в ванной
Пупель удалось блокировать. В один чудесный вечерок, когда представление Погоста было в самом
разгаре, гвозди были уже забиты, эспандер прикру-
чивался, Пупель неожиданно пришла в голову очень
свежая мысль. Она, вместо того, чтобы умолять
Погоста, кидаться к нему, спокойно зашла в ванную и проговорила:*

*— Если ты сейчас же, сей секунд не прекратишь, я
вызову психиатрическую.*

*Сказано это было жестко и прямо. Затем она вы-
шла из ванной и направилась к телефону. Эффект был
потрясающий. Погост как-то сразу утих, самостоятельно вырвал гвозди из косяка и как ни в чем не быва-*

ло уселся на кухне, мило щебеча. Но этот метод не действовал в отношении номера сипухи — сыча. Тут, видимо, Погост заводился не по-детски, и ему плевать было на психиатрическую и вообще на все. Ночами чудовищные сцены продолжались. Погост в этот момент совсем себя не контролировал и распускал руки.

В один из таких милых вечеров Пупель выскочила из дома и рванула к Магде в Новые Черемушки. Она ворвалась в метро прямо перед самым·его закрытием. Народу было мало, поезд долго не приходил. Пупель стояла на платформе и смотрела вниз, на рельсы. Внезапная мысль: «А не броситься ли под поезд?» пришла ей в голову.

Но страшно было не погибнуть, а покалечиться и остаться до конца дней беспомощным инвалидом. Если бы моментальная смерть! Тут тоже возникли сомнения. Постоянно слушая чтения по теософии и ненавидя это все всей душой, кое-что она все-таки для себя почерпнула. Некоторые вопросы волновали ее. Будет ли смерть моментальной? Внешняя сторона смерти, предположим, произойдет мгновенно, но что в этот момент происходит с душой? Как продолжителен переход?

Вечность может пройти именно в точке ее смерти, и то, что она сейчас считает страданием, на самом деле окажется радостью бытия. И может быть, именно в этот момент начнутся самые настоящие страдания и муки.

Магда не спала. Она сидела на кухне и что-то конспектировала. У Кирюши в комнате тоже горел свет.

Увидев Пупель в состоянии, не поддающемся описанию, Магда усадила ее за стол, налила чаю и сразу же с чаем дала несколько таблеток валерианы. Пупель прерывающимся голосом начала рассказывать о последних драматических событиях, показывая синяки на руках.

— Все, с этим надо немедленно кончать, — сказала Магда. — Так дальше продолжаться не может, он тебя доведет до черт-те чего. У тебя уже совершенно безумный вид.

— Я его боюсь, — призналась Пупель. — Ты не знаешь всех деталей, это такой человек, от него можно всего ожидать.

— Тем более, — продолжала Магда, — нельзя все время сидеть на бочке с порохом.

— Но я не знаю, как избавиться от него, у меня не хватит сил на борьбу. Он очень коварный и, наверняка, придумает такое, чтобы меня доконать, и еще я боюсь за своих родителей.

— При чем тут твои родители?

— Может отразиться на родственниках.

— Да, ты совсем уже дошла до ручки. Давай подходить к делу конструктивно, — предложила Магда.

— Как это? — Пупель смотрела на Магду непонимающими глазами.

— Надо лечить подобное подобным.

— Я в этом ничего не понимаю.

— В чем?

— В черной магии.

— Тьфу, ты, глупости не говори, — возмущенно проговорила Магда, — я вообще не об этом, это все чушь, есть что-либо, чем мы могли бы его напугать?

— Он боится психиатрической больницы, но не ночью, ночью он вообще ничего не боится, ночью он входит в силу.

— Просто триллер какой-то, ночью он всесилен и могуч, как настоящий вампир, а днем спит в обувной коробке, засыпанной землей для фикусов.

— Вот ты смеешься, а мне иногда кажется, что так и есть. Днем он всегда спит.

— Пока поживешь у нас, — сказала Магда. — Можешь уже считать себя свободной, я придумала замечательный план.

От этих слов у Пупель на душе потеплело. Валериана, видимо, тоже уже начала действовать. Пупель стало клонить в сон. Магда постелила ей в большой комнате на диване. Пупель кинулась на этот спасительный Магдин диван и заснула мертвым сном.

Она проснулась утром от ярких лучей солнца и запаха только что сваренного кофе. Первая мысль Пупель была — теперь все у меня будет хорошо. Она приняла душ, выпила вкуснейшего Магдиного кофе и отправилась в Высшее художественное заведение в прекрасном настроении, которого не испытывала уже очень долгое время.

В прохладное, но очень солнечное утро Пупель подходила к дверям Высшего художественного заведения, напевая какой-то мотивчик и вдыхая аромат прелой опавшей листвы, так называемый аромат осени.

На крыльце стоял Максик. Пупель охватил душевный трепет. Что-то внутри затюкало. Мысли запрыгали в голове. «Вот, — думала Пупель, — судьба, вчера все было ужасно, а сегодня мое счастье уже на пороге».

Пупель направилась прямо к Максику.

Он курил и смотрел на нее. Коротко стрижен, без бороды, какой -то другой, какой-то отстраненный.

— Ты вернулся? — *Голос Пупель звенел.*

— Да, — *коротко ответил Максик, кинул окурок на землю и открыл дверь высшего художественного заведения.*

— Ты куда?! — вскрикнула Пупель

— Мне нужно документы забрать.

— Как это?

— Так.

— Ты что, уходишь?

— Да.

— Почему?

— Не хочу учиться.

Максик второй раз взялся за ручку двери.

— Подожди, Максик, нам надо поговорить, — Пупель ухватилась за его рукав.

— О чем?

— О нас.

— Нас больше нет. Есть ты, есть я. О себе я все знаю, а о тебе.... пусти, Пупель, дай мне пройти.

— Давай отойдем отсюда, я должна все тебе объяснить, пожалуйста.

— Пупель, я столько раз это все там проговаривал, мне не хочется.

— Прости меня. Я уже сама себя наказала, ты можешь просто меня выслушать?

— Да, могу, но это ничего не изменит. Меня, честно говоря, не интересуют детали, подробности и всякое прочее.

— Ты хочешь сказать, что если человек ошибся и горько раскаивается, ему все равно уже нет прощения?

— Нет, я ничего не хочу сказать, и мерехлюндию разводить тоже не хочу.

— Ты можешь меня простить?

— Вот голубки опять вместе воркуют, — внезапно, как из-под земли, вырос Платон Платонович Севашко. — Вернулся, Максим, добре. Пупка тут все время ходила, нос повесив, вид такой, просто на ней *написано, не подходите, я вся такая, вся страдающая. Чуть из института по первой не вылетела, так это уже в прошлом году вроде было, время-то как летит. Ну, молодцы, добре, добре. Рисовать-то, Максим, не разучился?*

— Наверное, уж разучился, Платон Платонович, — проговорил Максик.

— Это ты брось, ты мне эти нюни не допускай, я во время войны практически не рисовал, только в Потсдаме, в самом конце немного, так тогда война была, и не смей мне даже, разучился, тоже мне боец, рука все помнит. Руку не проведешь.

Пупель грустно улыбнулась.

— А ты-то что теперь киснешь? Вот что, ребятки, мне сейчас некогда, у меня уже урок начинается, а вы давайте в воскресенье приезжайте ко мне в мастерскую, чайку попьем.

Севашко сильно дернул ручку двери, и перед тем как бодро шагнуть внутрь, повернулся к ним и строгим тоном провозгласил: «В воскресенье в пять, жду, это приказ».

«Дни поздней осени... и лучезарны вечера». На ветках тишь и гладь. Уныло завывают ветры-кучера, они «гусей крикливых стаи», дыханьем холода нещадно подгоняют и дуют с ночи до утра, сметая все останки лета и яркой осени «прощальную красу», в кристаллы твердые, упрятавши росу, на пруд, накинув сетку ряби, оставив на дороге лужу хляби, торопят, давят, жмут, «пора, пора».

Глава 12

Годичный цикл Меркурия
состоит из трех его оборотов
вокруг Солнца.
Соответственно этот цикл содержит
три директных стояния Меркурия
и три попятных стояния.

Красповиц предложил Марку сесть в кресло, и сам плюхнулся за свой рабочий стол, под его весом несчастный стул заскрипел и заныл.

— Я вас слушаю, Марк, — проговорил он просто, без гонора, широко улыбнувшись и одарив своего гостя ласковым взглядом.

Марк пододвинул свое кресло ближе к столу, а сам вытянулся к Красповицу и с заговорщицким видом прошептал:

— Сим Савович, извините меня, пожалуйста, за такой неделикатный вопрос, — при этом он закачал головой и закатил глаза, — но поверьте мне, это абсолютно не праздное любопытство.

— Прошу вас, задавайте свой неделикатный вопрос, — Красповиц опять улыбнулся.

— Что делала у вас Магда?

— Вы ее знаете?

Марк сделал расстроенное лицо.

— К своему великому сожалению.

Красповиц начал раскачиваться на стуле, от этих движений стул извергал стоны и заунывные хрипы. Он смотрел на Марка с интересом в ожидании продолжения. На вопрос Марка он не ответил, и сам вопросов не задавал.

В голове у Марка заворошились мысли, он уже начал жалеть о необдуманно-заданном вопросе. Возникла пауза. Под стенание стула они оба смотрели друг на друга в ожидании развития. Марк по лицу Красповица пытался предугадать последующую реакцию и возможные пути отступления и даже бегства.

Красповиц с интересом рассматривал нос Марка, продолжая миролюбиво улыбаться. Еще раз взглянув на него, Марк все-таки решился, злоба внутри него кипела.

— Это настоящее чудовище, — зашептал он и кинул быстрый взгляд на Красповица.

— Кто бы мог подумать? — проговорил Красповиц без всякой заинтересованности.

— В том-то и дело, под якобы респектабельной внешностью скрывается черт в юбке, целый сатана. Я сталкивался с ней, это что-то страшное. У этой женщины существует куча аферистических проектов, которые она осуществляет в корыстных интересах, наступая на голову всем, кто попадается под руку. Она гипнотизирует людей и приводит в состояние кролика перед удавом, коим она и является. Потом она бросает этих людей.

— Она вас бросила? — участливо спросил Красповиц.

— Что вы, Сим Савович, я имею в виду чисто деловые отношения и просто хочу вас предупредить относительно ее непорядочности и подлости.

— Спасибо, Марк, — Красповиц кивнул головой, — будем иметь в виду.

— Она вам еще свою подругу притащит, вот увидите.

— Вы думаете?

— Когда у этой дамы рождаются планы, она идет напролом.

— Для этого она использует свою подругу? — с улыбкой спросил Красповиц.

— Нет, там скорее речь идет о юродивых. Подруга ее безумная, с элементами эксцентрики, которая вызывает у порядочных людей жалость и стремление хоть как-то помочь. Некоторые видят в этой иронии природы, в этой псевдонезащищенности и якобы особенности какую-то прелесть. Магда — психолог, в общем, они действуют в тандеме и, говоря современным языком, просто разводят людей под якобы благородными мотивами. Магда — просто мошенница на доверие. Сколько их развелось в нашем мире.

— Да, этого добра хватает, — понимающе проговорил Красповиц.

Марк выдохнул. Все было в порядке. Теперь, удовлетворив жажду мести, он мог переходить к делам.

Ему было уже абсолютно не интересно, по какому делу приходила к Красповицу Магда.

«После такой реляции он не захочет с ней общаться, — думал Марк, — вот так-то, Магда, сволочь ты мерзостная, думаешь, на тебя управы найти нельзя и все у тебя будет как по маслу, нет уж,

дудки, отольются кошке мышкины слезки», —
удовлетворенно рассуждал он про себя, доставая из
сумки альбом с фотографиями своих ангелов.

— Что я все о грустном да о плохом говорю? Вот,
Сим Савович, по поводу работ пришел. Решил, так
сказать, зная ваш вкус. Очень бы хотелось услышать ваше мнение. Если заинтересуетесь, все это
можно будет посмотреть в натуре у меня в мастерской за рюмочкой чая.

Красповиц взял альбом и начал рассматривать
фотографии.

— Какого размера эта скульптура?

— Метр, мелкая пластика, очень хороша для
офисов.

— Этот, я так понимаю, был самый первый?

— Да, этого я слепил сразу после института, вы-
ставил тогда на XVII Молодежной. Ветер перемен,
приятное время было. Все таскали свои опусы и
изыскания. Но его, к сожалению, уже нет.

— Продали?

— Притащился ко мне после выставки какой-то
шустрик-галерейщик из Парижа, какие-то гроши
сунул. Я, дурак, продал. Галерейщик из Парижа
платил в долларах. Ребятки были, мама не горюй, а
тогда ведь как казалось — раз из Парижа, то это кру-
тизна. Сколько эти оглоеды в те времена по дешев-
ке здесь нахапали, ящиками волокли, тоннами. Некоторые художники даром отдавали. Придет некий
импортный хрен на сквот, в мастерскую, притащит
пойло. Все рады до усрачки, тусят, жрут. Он их поит, поит. Народ пьет, гуляет. Эти придурки ему да-
рят свои нетленки, в очередь встают, подписывают,
дорогому другу от любящего тебя всем сердцем художника Пупкина, Мупкина и Жупкина в честь на-

ших с тобой будущих свершений на ниве искусства, а потом сами удивляются, что это наших художников не уважают на Западе.

Внезапно Марк опомнился. Все, что он только что рассказывал Красповицу, никак не подходило для рекламной акции его скульптуры. «Вот меня занесло, — подумал он. — Как же теперь отгрести, блин?»

Он глубоко вздохнул и принял многозначительный, даже страдательно-пережевательный вид, опять закатив глаза и качая головой.

— Эта вещь была, видимо, сделана после продажи первой? — Красповиц показал на второго ангела.

— Да, я опомнился, понял, что совершил глупость, продав ангела этому деляге. Решил, так сказать, восстановить утрату.

— А почему вы не остановились?

— Сим Савович, я что-то не понимаю?

— Я спрашиваю, почему, восстановив утрату, вы сделали... — Красповиц пролистнул еще раз альбом, — около тридцати вариаций? Что вы хотели этим сказать?

Вопрос Красповица был для Марка крайне неприятным. Ему не хотелось рассказывать Симу, что второго ангела он тоже быстро продал и начал в срочном порядке лепить еще трех, чуть отличающихся друг от друга, но, в общем, похожих как братья-близнецы.

— Я начал искать, хотелось подойти к идеалу, приблизиться к идее.

Красповиц открыл альбом на самой последней странице и долго рассматривал тридцатого ангела.

— Кроме ангелов, имеются ли у вас еще какие-либо работы?

— Да, я все время в пути, — проговорил Марк, — к сожалению, другие вещи я не могу вам продемонстрировать, они все находятся на стадии проектов.

— Занимаетесь исключительно продажей ангелов?

Эта фраза, которая, по сути своей, была чистой правдой, почему-то покоробила Марка. Вспомнился его разговор с Пупель, обидные ее слова о мутных потоках, об ангелах-клонах.

— Я не торговец, Сим Савович, — произнес Марк гордо. — Я скульптор.

— После случая с заморским дилером вы решили не продавать свои работы?

Марк опять был поставлен вопросом Сима врасплох. Согласиться и сказать, что не продает работы, было заманчиво, этим самым он сразу бы поставил на место Сима со всеми его копаниями и насмешками, но тогда цель визита была бы не достигнута, и никаких перспектив не открылось бы. Мнение Сима Марка абсолютно не интересовало, его интересовал другой аспект.

Красповиц листал и листал альбом, стул под ним опять начал издавать скрип:

— Что же-е-е-е? Как же-е-е-е-е-е?

«Мало того, что ничего не хочет купить, скряга, он еще меня лечить надумал. Хорошо сидеть на стуле в шикарном кабинете своего шикарного особняка и рассуждать о трудностях творческого пути художника, в поте лица пытающегося заработать на жизнь».

Красповиц, казалось, абсолютно не замечал ерзаний и недовольства Марка.

— Мне кажется, — продолжал он в своем спокойно-эпическом стиле, — вам Марк надо на какое-то время отложить свои поиски в области разработки ангелов.

Злоба закипела и забурлила внутри Марка. Он начал про себя прикидывать, как бы побольнее напоследок кольнуть придурка Красповица, этого сытого борова, этого всепонимающего философа-мудософа, обучающего жизни художников. «Не хочешь — не бери, в душу-то зачем лезть? Кого волнует, урод, что тебе кажется, неужели ты до сих пор не уловил фишку? Кому ты интересен? Всех привлекает только твой бабандос. Ну, повезло тебе, чудило. Ну, разбогател ты, накупил антиквариата, и что? Рожу-то отъел...» Прокрутив этот монолог про себя и найдя его достаточно обидным, Марк уже открыл рот, чтобы все это выговорить, но не успел.

Заговорил опять Красповиц:

— У вас есть ви́дение и чувство пластической формы.

Марк просиял и возблагодарил Бога, что не успел высказать Красповицу все те обидные слова, которые уже были готовы слететь у него с языка.

«Все-таки совесть у него пробудилась, решил купить, цену сбивает, вот хитрюга, — думал Марк. — Понятно, почему такие люди зверски богатеют, деловая сметка и спокойствие, вот как лыбится, ну сейчас скажет, так как у вас их много, то и цена соответственно...»

— Из-за этой серийности, — продолжал Красповиц, — выхолащивается та суть, которая первоначально присутствовала.

«Опять за рыбу деньги, — мысли Марка острыми иглами заерзали в голове. — Да что же это такое, блин? Сколько же может эта гнида брызгать своим ядом? Ничего он не купит, сто пудов, он сейчас наглумится, упиваясь своим благостным видом, хрена лысого что купит. Сейчас пошлю его и дверью так шарахну, что картинки его антикварные попадают со стен, может, хоть рамки переломаются, одна рамка, поди, кусок стоит».

Марк весь набычился, сконцентрировался и яростно сверкнул глазами.

— Что вы на месте топчетесь?

— Я никогда не топтался, — злобно огрызнулся Марк. — И всяких галерейщиков-меценатов вдоволь навидался, сыт ими по горло. Будь на все моя воля, в жизни бы не обращался к этим стервятникам, умеющим так клюнуть полумертвое слабое животное, чтобы одним махом и шкуру пробить, и крови напиться.

— Полумертвое слабое животное — это вы?

Марк сглотнул слюну.

— Не смейте переходить на личности! — заорал он.

— Лучше сразу перейти к наличности. Или я не прав? Вы хотите продать мне свои поделки, а я их покупать не хочу, вот и весь сыр-бор, но мне жалко вас, потому что, как вы только что сами про себя сказали, животное уже полумертвое. Но сдохнете вы не от ястребов-галерейщиков, а исключительно из-за своего тупого упрямства. В народе говорят, не пей гнилую воду. А вы лакаете из лужи, не замечая, что шерсть уже заплесневела, а во рту появился запах гнили.

Далее все происходило в темпе vivace.

Марк сорвался со стула и ринулся с кулаками на Красповица. Тот перехватил его руку с такой чудовищной силой, что в руке что-то хрустнуло и оборвалось.

— Отцепись от меня, ублюдок! — верещал Марк, пытаясь свободной рукой врезать Красповицу.

— Не кипятись так, — вразумлял Марка Красповиц, одновременно блокируя его вторую руку. — Мы с тобой в разных весовых категориях, — резюмировал он, скрутив Марка, как стригаль овцу.

— Отпусти!.. — взвыл Коняшкин. — Ты мне руку сломал!

Красповиц разжал стальные объятия, и Марк отпрянул.

Оба стояли красные, взъерошенные.

— Я на тебя в суд подам! — заверещал Марк.

— Подавай, может, и тебе кто-нибудь подаст! — гаркнул Красповиц.

— Да я! — завизжал, брызгая слюной, Марк.

Красповиц направился к своему столу, плюхнулся на стул и спокойно, но очень твердо проговорил:

— Пошел вон отсюда, брысь.

Марк выскочил из кабинета, как говна наевшись, вдобавок рука болела не по-детски. Злоба душила его. Яростной ракетой несся он по коридору, изрыгая чудовищные ругательства и призывая все силы мужских и женских половых органов обрушиться на Красповица и на его ни в чем не повинную матушку.

Он чуть не сбил с ног идущую ему навстречу Надю. Она шарахнулась в сторону. Марк опомнился и остановился.

— Что случилось? — зашептала Надя.

— Я его укокошу, — прошипел Марк.

— Пойдем ко мне в комнату.

Они зашли в секретарскую. Надя налила Марку воды из графина. Марк опустошил стакан несколькими глотками, затряс головой.

— Ну и мудак твой шеф, — проговорил он уже более спокойным тоном.

— Он со странностями, но не злобный.

— Он мне руку сломал.

Надя участливо склонилась над Марком.

— Покажи, пальцами пошевели.

Марк произвел движение пальцами.

— Просто ушиб, давай холодненького приложу.

— Да хрен с ним, с холодненьким, а выпить у тебя есть?

— Нет, у Сима в кабинете есть.

— Пошел он на хуй. Пойдем в ресторане посидим, мне надо расслабиться.

— У меня еще рабочий день не кончился.

— А когда эта срань тебя отпускает?

— Да скоро уже.

— Я тут больше ни минуты не хочу сидеть. Пойду в «Кувшинчик», а ты давай закругляй.

По селектору раздался голос Красповица:

— Надя, зайдите, пожалуйста, ко мне.

— Вот мерзота говнячая, ему это так не сойдет, — зашелся опять Марк. — Я жду тебя в «Кувшинчике», — этот поэтический оборот предназначался для Нади.

Она, кивнув, побежала к Симу в кабинет.

Красповиц сидел какой-то не то грустный, не то усталый.

— Что там у нас, Надя? — спросил он.

— Звонила Сусанна, но это вы сами с Коняшкиным?

— Да, да с Коняшкиным мы уже все решили, а еще что?

— Маковецкая, по поводу презентации завтра придет, Дозукин просил об аудиенции, Борзян с аннотацией, эта ваша библиотекарша из Твери тоже на завтра, Драгонов звонил.

— Драгонов, Драгонов, — проговорил Сим. — Вы Надя случайно не знаете, как он сейчас?

— Вообще не пьет, вроде куда-то ездил, и ему в мозг что-то поставили, совсем не пьет.

— Это хорошо, в мозг говоришь?

— Я точно не поняла, мне его жена рассказывала, какие-то ферменты или гормоны.

— А он работать-то может?

— Рисует вовсю.

— Очень хорошо, я ему гранд хочу дать. Он замечательный художник. Ему сейчас необходима полная свобода. Тем более ферменты у него и гормоны. Сумма достаточно большая, должно хватить на их с женой длительное пребывание за границей. Драгонову просто необходимо выехать в Италию и там, на месте вкушать все красоты, ему сейчас продышаться надо.

Надя кивала.

— Завтра бумаги оформляй, да, этим с картами скажи, я не беру. У Меркатора восемнадцать листов в атласе, а у них шести не хватает, и самой главной карты Тартарии нет. Без карты Тартарии атлас Меркатора не атлас.

Надя кивала.

— Это всё, Сим Савович?

— На сегодня, я думаю, всё, идите домой, а я еще посижу.

— Чайку вам заварить?

— Спасибо, Надя, я сам, идите, отдыхайте.

Дверь за Надей закрылась.

Красповиц достал из стола принесенную Магдой папку и раскрыл рукопись.

История Пупель

Осень перешла в стадию полного упадка. Отвалились последние листы с деревьев. Нет, не было и не могло уже быть у осени прежней силы и яркости. То и дело она хлюпала дождем. Внезапно вспомнив свою былую прелесть и радужность, осень вдруг улыбалась скудным солнечным лучом, потом опять хмурилась и с остервенелым отчаянием выплескивала комья грязи в наполненные до самых краев лужи. «Вот вам напоследок, умойтесь», — как будто говорила она. Это была предсмертная агония осени.

Всю неделю Пупель находилась в ожидании воскресенья. Поэтому и еще потому, что погода была такая плохая, неделя тянулась невыносимо долго.

Пупель жила у Магды, никто ее не искал, что было довольно странно, но, с другой стороны, радовало. Из каких- то суеверных соображений Пупель ничего не рассказала Магде о встрече с Максиком. Она прокручивала радужные картины в своей голове. Ей представлялось, как в воскресенье вечером, после приятного чаепития у Севашко они вместе с Максиком завалятся в Новые Черемушки и как все будет хорошо. Конечно, Максик понравится Магде, а Погост просто-напросто растворится как дым, Магда ведь обещала, а она слов на ветер не бросает. Магда просыпалась раньше всех, готовила вкуснющие завтраки. Все трое — Пупель, Кирюша — тишайший и сама

Магда завтракали, после чего разбегались по своим делам. Пупель — в высшее художественное заведение, Магда — на работу к разбойникам, а Кирюша — в Ленинскую библиотеку.

Вечером обычно возвращались в обратном порядке: сначала Кирюша из Ленинки, затем Пупель, и самой последней возвращалась Магда обязательно со вкусностями и всяческими деликатесиками, которые вся компания с превеликим удовольствием вкушала. После ужина Кирюша уходил к себе и там допоздна занимался писаниной, а Пупель с Магдой сидели на кухне и болтали. Пупель интересовалась Магдиной работой, ее это очень сильно беспокоило. Магда с юмором рассказывала эпизоды из жизни своих хозяев.

— Приезжает сегодня Тарас такой довольный и Милке говорит, что на воскресенье намечены шашлыки и будут все его кореша и Аслан, и Козлан и даже Мухлан обещался прикатить.

Мухлан у них главный. Он на крутой тачке разъезжает, такой весь из себя и костюмчик носит не спортивный, а тип-топ цирли-мырли двубортный, и туфли на нем лакированные, и девушка у него такая блондинистая Нина, такая волоокая с брильянтищами в ушках и в «Шанели» кремовой, а сам он хоть совсем пацан, но уже главный начальник на работе. И оказывается, что Мухлан изъявил желание шашлык самолично приготовить. Милка так хмыкнула и говорит: «А он в мясе-то что-либо рубит?»

Тут Тарас ее таким взглядом смерил, что у Милки чуть башка не запепелилась.

— Мухлан в мясе? Да Мухлан самый главный специалист в Грозном был по рубке мяса.

— Так что в воскресенье мне придется выехать на сверхурочную, — говорила Магда. — Подавать там все, а потом посуду перемывать.

— Это надолго? — забеспокоилась Пупель. — Ты к вечеру-то хоть вернешься?

— Я там никогда не ночую. Не знаю, как это будет под предводительством Мухлана. Обычно там так: тостики, погуляют, покушают, выпьют — и на покой.

В «рафиках» бронированных такие крепкие братки, вооруженные до зубов, сидят, их стерегут. Это только в кино показывают, как на воровских малинах дым коромыслом, веселуха. А в жизни все не так. Они не особенно любят трепаться, да и о чем, собственно, им говорить? Пьют тоже, надо сказать, вяленько, так, винишка глоток, коньячка рюмочку. После еды легкий моциончик — из «Калашей» популяют, для деток фейерверк пыль-пыль, да и разъезжаются.

Пупель с ужасом слушала Магду.

— Ты там поаккуратнее, — говорила она, — когда стрелять будут, не лезь под пули, очень тебя прошу.

— Да все будет нормально, — успокаивала ее Магда, — никуда я лезть не буду, накрою, уберу, помою и домой приеду.

— А сказка на ночь? Расскажи дальше.

— Потом, сейчас поздно, завтра надо рано вставать.

Во время проживания Пупель у Магды у них сложился свой особенный ритуал. Магда рассказывала историю жития Прокопия Праведного. Поздними вечерами, когда день закончен, все житейские рассказы пересказаны, им обеим хотелось поговорить о чем-то другом. Именно в эти вечерние часы Магда выступала в роли доброй мамушки, рассказывающей дитятку

истории про старину. В тот вечер накануне воскресенья Пупель очень хотелось услышать финал. Магда
как заправская рассказчица умела увлечь. Прокопий
волновал ее. Но в этот вечер Магда была утомлена и
не расположена к рассказам.

— Давай спать, потом, — сказала она.

— Ну, хоть чуточку, хотя бы несколько слов. Он
спас тогда город? — не унималась Пупель. Ей не хотелось спать. И думать о том, что будет завтра, тоже не хотелось.

— Да, конечно, не зря же он притащился в такую
даль, на север.

По диким болотам, по непролазным проходам, по
ельникам дремучим, где звери, где ночью дрожишь и
трясешься под каждым кустом, и волосы дыбом, и
холод, и нечего есть.

— И? — подначивала Пупель.

— Все, спать, глаза слипаются, — Магда выключила свет на кухне, — завтра вечером поговорим, спокойной ночи.

Пупель долго не могла уснуть, все крутилась и
крутилась на своем диване. Она вся уже была в завт-
рашнем визите, всякие радужные картинки мелькали
у нее в голове. Уговаривая себя заснуть, она представляла Прокопия, пробирающегося на север дикими
лесами.

Воскресенье все-таки наступило. Ясный осенний
денек. Магда очень рано уехала к разбойникам, Кирюша на кухне допивал кофе. Он приветливо улыбнулся,
сказал, чтобы Пупель завтракала, и удалился к себе.
Пупель поела, прибрала на кухне и начала ждать.
Толком делать она ничего не могла, пребывая в состоянии эйфории. Она немного почертила шрифты для
работы, что-то потюкала из курсового задания, по-

том прилегла на диван в надежде немного вздремнуть. Внутри все трепетало в предвкушении. Полный сумбур: сначала я ему скажу так, нет, сначала я проговорю, ах нет же, я все сразу вывалю и...

Наконец время подошло. Пупель отправилась.

Сдерживая безумное волнение, Пупель открыла дверь в мастерской Севашко.

— Платон Платонович, — звенящим голосом пропела она.

Ответа не последовало. Платона в мастерской не было. «Наверное, вышел куда-то, — подумала Пупель. — А дверь запереть забыл». Она уселась на стул и огляделась. Все было как всегда. На стене плача висели работы учеников. Пупель начала разглядывать рисунки снизу вверх. «Когда-то и я тут висела, — проносились мысли, — в подвале, в самой низине, а Максик пришел и сразу разместился на Олимпе». Пупель сидела на стуле и почему-то чувствовала себя непривычно. В мастерской было очень тихо. Пупель ждала. Никто не приходил. «Куда же они запропастились?» — думала Пупель.

Прошел час, стемнело. Пупель зажгла свет. Тишина начала ее пугать. Несколько раз она выходила во двор в надежде увидеть Севашко и Максика. Моросил мелкий гадостный дождь. «Может, они вместе пошли в магазин? Хотя, странно как-то. Или Платон спит? Погода-то какая...» Пупель подошла к лесенке, ведущей на второй этаж мастерской Севашко. Это была его частная территория, никому из учеников не разрешалось подниматься на антресоль, в святую святых великого репетитора.

Пупель поднялась на пару ступенек и тихонько позвала:

— Платон Платонович...

Наверху послышалось какое-то шевеление и непонятный не то зевок, не то вздох. Пупель еще раз окликнула Севашко. Внезапно возникло какое-то непонятное чувство тревоги. Она еще подождала. Никаких звуков. Тогда Пупель решилась. Неуверенно она полезла наверх. Там было темно.

Севашко лежал на полу. Пупель кинулась к нему

— Платон Платонович?! — закричала Пупель каким-то дребезжащим голосом.

Платон застонал. Пупель села на корточки, дотронулась до него.

— Платон Платонович, миленький, вам плохо? — проговорила она, пытаясь приподнять голову Севашко.

Он опять застонал, открыл глаза и посмотрел на нее.

— Я сейчас, сейчас... — затараторила Пупель. — Я сейчас помогу вам подняться, рукой за меня ухватитесь.

— Пупа, это ты? — спросил Севашко.

Пупель показалось, что он улыбнулся.

— Я, Платон Платонович, — нервно сглотнув слюну, выдохнула Пупель.

Она попыталась приподнять Севашко. Ничего не получилось, он был очень тяжелый.

— Ты пришла?

— Я сейчас «скорую» вызову, — прохрипела Пупель.

Тело Платона пронзила судорога, он, видимо, пытался встать, поднял голову, потянулся. Страх парализовал Пупель. Ей показалось, что на антресолях гуляет ледяной ветер. Раздался удар, это голова Севашко упала на пол. Глаза его были открыты, совершенно другие глаза. Это были игрушечные, страшные глаза, смотрящие на Пупель стеклянным, матовым взглядом. *Пупель потрогала пальцем глаз. Ничего не произошло. Только ветер усилился.*

Неожиданно *Платон встал и взял ее за руку. Его рука была теплая и влажная. Эта рука тащила Пупель вниз в мастерскую.*

— Сегодня ученики не придут, потом скажи им, что я умер, ладно?

— Вы же не умерли, Платон Платонович, — со страхом всматриваясь в стеклянные глаза Севашко, пробормотала Пупель.

— Прощай, — спокойно проговорил Севашко и поцеловал ее в губы.

По телу Пупель прошел озноб, ноги ее сделались ватными.

— Вы куда, Платон Платонович?! — завыла она вслед Севашко.

— Пойду, мне надо.

— Не ходите, Платон Платонович, там дождь.

Никого уже не было. Стуча зубами от страха, она выскочила из мастерской. На улице темно.

— Где же Максик?

— Максик не придет, — шепнул Платон Платонович прямо ей в ухо, — он тебя никогда не простит, все кончено, Аминь.

Пупель бежала по улице. Деревья качались и стонали, Пупель казалось, что они хотят зацепить ее своими ветками, а как только это произойдет, ее голова бум на землю и глаза, стеклянные матовые... Вдалеке замаячила какая-то долговязая фигура.

«Господи, это Погост, — мысль-молния промелькнула у Пупель в голове. — Он меня вычислил и сейчас убьет, точно, у него в руке нож». *Она побежала обратно в мастерскую.* — Я все знаю, — *крутилась шарманка,* — я спрячусь за рисунками, там, на стене, под кнопку забьюсь, в маленькую дырочку». Шнурок на ботинке у нее развязался, Пупель споткнулась и упала в лужу: «Он сейчас меня убьет!» Темный силуэт приближался. Пупель ворвалась в мастерскую, начала срывать рисунки со стены, дырка от кнопки не находилась.

— Сейчас придут Севашко и Максик из магазина, — бормотала Пупель, залезая под стол и пытаясь прикрыться соскользнувшей скатертью. — А меня уже нет. А я их всех обману, я тоже пошучу с ними, сейчас в окно вылезу и в лес...

Окно не открывалось. Пупель цеплялась ногтями за шпингалет. Ломая ногти и срывая заусеницы на пальцах, она что есть силы рвала оконную раму. Кровь капнула на подоконник. Рама не поддавалась. В отчаянии Пупель навалилась на стекло, осколки полетели вниз, пахнуло осенней сыростью. Пупель выпрыгнула вниз. Боли она не почувствовала. Она лежала на земле в мокрых листьях.

— Хорошо, что я в деревне, тут воздух свежий и листики везде.

«Не-е-е-т, прячься, беги! — вопил внутренний голос. — В деревне очень опасно, в деревне все как мухи мрут, крестьянин помер. Только не сжата полоска одна-а-а-а-а-а-а-а-а!» Обратно в мастерскую, наверх, под кровать и там отлежаться, там не холодно. Она полезла в окно. Зацепилась за подоконник, пытаясь подтянуть ноги и перевалиться внутрь. В это время рука Погоста жестко схватила ее за плечи. И Погост совершенно не своим, а каким-то замаскированным голосом заорал:

— Ты что тут делаешь, мразь, стекла бьешь?!

В глазах у Пупель потемнело. Она ничего не видела, только чудовищный, огромный многоголосый хор пел:

— *Грустную думу наводит она, наводит она, она, она, она, она-а-а-а-а...*

— Прошурши мне в ухо, как сухой камыш.
— Ш-ш-ш-ш-ш-ш-ш-ш-ш.

Глава 13

Меркурий во многом похож
на Луну, опять кратеры!

Марк и Надя сидели в «Кувшинчике». Народу в зале было полно. Просто тьма-тьмущая. Табачный дым сизым облаком окутывал отдыхающих за деревянными обшарпанными столиками. Туда-сюда сновали официантки. Сюда — таская подносы с шашлыками и пивом, туда — груды тарелок с объедками и пустые кружки с осевшей по стенкам пивной пеной. Скрипач уже подключил свою электрическую скрипку и несколько раз поелозил смычком по струнам, издавая визжаще-электрические звуки.

Появился темнобровый упитанно-лоснящийся певец в пиджачке с люрексом. Он кивнул скрипачу. И полилась над «Кувшинчиком» песня про аргонавтов, с длинной-предлинной дорогой.

— Здесь классно, — залопотала Надя, запивая люля-кебаб пивом.

— А Магда эта чего к этому твоему притаскивалась? — Марк никак не успокаивался.

— Хрен ее знает, что-то предлагала, она мне ничего не говорила.

— Это и коню ясно, станет она тебе говорить.

— А тебе-то что?

— Мне, в общем, фиолетово, это тебя касается.

— Каким боком?

— А ты сама подумай.

— Ты о чем?

— О том, Надюша, о насущном.

— Как это?

— Ты что, эту сучару не знаешь?

— Она сказала, по делу.

— И что из этого выходит?

— Что выходит, Марк?

— Ты прямо как детский сад — штаны на лямках.

— Ну, объясни.

— На твое место метит, к бабке не надо ходить.

— Ты думаешь?

— Зная эту энергетику и этот нрав мерзоты.

— Что она тебе сделала?

— Мне ничего, кишка тонка, я о тебе забочусь.

— Она какие-то бумажки притащила, папка на столе лежала.

— А что в папке?

— Откуда я знаю, я же при Симе не могла посмотреть.

При упоминании о Красповице Марка передернуло.

— Пидор гнойный, — прошипел он.

— А я и ни ума. Может, она по поводу интерьеров?

— Тем хуже, эту ебнутую предлагать притащилась, чтобы одним махом.

— Пупель твою?

— Мою? Да ты с дуба, что ли?

Надя недовольно хмыкнула.

— Бывает всякое, — спокойно-рассудительным тоном проговорил Марк. — Вот эта действительно реальная сучара, а Магда, так. Магда, Пупель, они же в тандеме.

— Я не знала.

— Я зато это все на своей шкуре.

— И что теперь? — Надя внимательно посмотрела на Марка.

— Потанцуем, — предложил Марк.

Надя заулыбалась.

Они закружили в танце. «Ах, какая женщина...» — гнусавил люрексовый певец.

— Какая ты стильная, — шелестел Марк, прижимаясь к Наде.

— Всегда такой вроде была, — хихикнула Надя.

— Ну, затмение было.

— Прояснилось?

— Теперь мы с тобой горы свернем.

— А вдруг землетрясение, солнцепреставление и что опять?

— Теперь все по-другому у нас с тобой будет, Надюшкин.

— Я еще танцевать хочу.

— Сейчас еще раз эту песенку закажу.

Они протанцевали на бис «Какую женщину» и, довольные друг другом, вернулись за столик. Марк попросил принести еще пива.

— За нас! — провозгласил он.

— Все-таки хочется все по полкам, — внезапно проговорила Надя.

— Хочешь хоть завтра заявление в ЗАГС подадим?

— Я не об этом.

— Красповиц?

— Подружка твоя грёбаная. Я тогда ведь переживала, плакала, ночи не спала. Надо ее как-то...

— Все будет, лапуля.

— Когда это все будет?

— Их надо обеих в одном флаконе и по полной.

— Но не до смерти.

— Нет, конечно, что мы звери?

— А есть идеи?

— Предлагаю порассуждать у меня в мастерской. Ты как на это смотришь?

— Поздно уже, потом домой возвращаться.

— Останешься у меня, ты что? У меня теперь все удобства, джакузи, сортир соорудил шикарный, агрегат для уничтожения говна имеется.

— А это зачем?

— Чтобы все было автономно. Там в коридоре есть на три мастерские, а если эти узнают, что я сортир себе сделал, стукнут, а так и трубы канализационной не надо.

— Класс, сам додумался?

— Вот такой я молодец. Комодик в «Икее» купил, диван — чума, футбольное поле.

— Мы что, в футбол едем играть?

— Нет, Надюнчик, отдохнуть и расслабиться.

Сказано — сделано. Покинув «Кувшинчик», Марк с Надей очень быстро прикатили в мастерскую. «Да у него здесь действительно сказочные хоромы, — сразу сориентировавшись на местности, просекла Надя. — Все, кердык тебе, Марк, на этот раз я не лохонусь». Она скинула пальто и начала охать и ахать.

— Ну, Марк, класс, экстра, — заливалась Надька, приспуская кофточку и превращая сильное деколь- те в декольте до колен. «Что надо сделать, чтобы та- кую мастерскую заиметь?» — думала она про себя.

— Хочешь шампузория? — предложил Марк. — У меня и ананаска есть.

— Хочу, Маркушка, очень хочу, — хихикала Надька. Она еще раз окинула взглядом все помеще- ние. «Сначала надо усыпить, улюлюкать и елеем за- лить, а потом трык-трык-трык...» — считал у нее в голове персональный счетчик Гейгера.

— Какие милята! — заверещала она, делая том- ные глаза и теребя ушко, разглядывая пантеон ангелов, расставленных по всему огромному по- мещению мастерской. — А этот, глиняный, про- сто дуська.

— Этого отформуем, Надюнь, на днях формов- щик придет, этот — чумово-дорого уйдет.

— Вещь! Марк, ты гений, реальный гений!

— Садись, Надюня, будем ананасик кушать, — промурлыкал Марк, наливая шампанское в бо- калы.

— А бокальчики какие прикольные!

— Тоже «Икея», копейки стоят, а видон на лимон.

Надька втиснулась в диван и прижалась к Мар- ку. При этом она, не переставая, подхихикивала, облизывала губы, бросая на него хищные взгляды.

— Где там мой ананасик? — сюсюкала она, погла- живая Марка по причинному месту.

Не дожидаясь полного созревания этого экзоти-
ческого плода, она сама решила ускорить процесс,
то есть все взять в свои руки. Она извивалась всем
телом, приторно вздыхала, прикрывая глаза, пуска-
ла слюну.

Марк, несколько остолбенев от такого напора,
занялся стягиванием с нее колготок. Непрерывное
Надькино хихиканье немного сбивало его настрой.
«Правда говорят, что бабы с возрастом сатанеют,
давно у нее, видимо, никого не было», — крутилось
у него в голове.

Во время самого полового действа Надька вела
себя как в старом пошлом анекдоте, когда мужичок, высовываясь из-под бабы, с интересом спрашивает: «Простите, мадам, кто сейчас кого имеет?»
Марк ничего не спрашивал, возня происходила
молча.

Свиньи ничего не обсуждают во время соития,
относятся просто по-свинячему к этому событию.

Надо сказать, Марк старался, пыжился вовсю.
Конечно, ему не хотелось предстать перед замате-
ревшей Надькой в облике постаревшего китайца по
имени Сунь-Вынь.

— А теперь шампусика, Марк, наоралась, горло
пересохло.

Марк предложил выпить в новой джакузи. Он с
нескрываемой гордостью смотрел на новоприобре-
тенный шедевр итальянского искусства.

— Просто рай, какие пузырьки, — пищала
Надька. «Бешеный баблос», — крутилось у нее в
голове.

— На какую оценку мы трахнулись? — не унималась она.

— На пятерку, — Марк даже немного растерялся.

— А я думала, на пять с плюсом.

— Конечно, с плюсом, — лепетал Марк. — Ты вообще the best.

— А пену сюда можно напускать?

— В джакузи нельзя.

— Давай тогда еще на диване ее пустим! — загоготала Надя, напяливая халат.

— Он новый с нуля, — бормотал Марк, — теперь твой будет.

— Мой любимый цвет. А размерчик? — Надя схватила Марка за член. — Подходит, тютелька в тютельку.

— Не маловат?

— Нормалёк.

Она уже бежала к дивану, виляя задницей. Скинув халат, Надька начала активно, с придыханиями изображать «Маху обнаженную».

— Сейчас музончик включу, — предложил Марк.

— Потом, Маркуша, потом.

История Пупель

Государственное учреждение «Психиатрическая больница № 3 им. В.А. Гиляровского» города Москвы (бывшая Преображенская больница) — старейшая, первая психиатрическая больница в Москве, открыта 15 июня 1808 года. Выдающийся психиатр В. А. Гиляровский сказал о больнице: «Преображенская больница — это в живых образах, лицах и фактах история нашей отечественной психиатрии».

Паническая атака — эпизод выраженного дискомфорта или страха, в ходе которого внезапно появля-

ются как минимум четыре из нижеперечисленных симптомов:

выраженное сердцебиение,
потливость,
дрожь,
ощущение духоты или нехватки дыхания,
ощущение удушья,
боль в груди,
тошнота или другие желудочно-кишечные симптомы,
головокружение,
неприятные телесные ощущения,
озноб или прилив крови к лицу,
ощущение нереальности или ощущение обособленности от самого себя,
страх утерять контроль или сойти с ума,
страх смерти.

Пупель открыла глаза. Серый потолок. Она пошевелила рукой, острая боль. Закрыла глаза. Бил озноб. Тиски сдавливали голову. Нет сил терпеть. «За что вы меня мучаете?!» — кричало что-то внутри нее. Ч-и-и-и-те, ч-и-и-и-те отзывалось в искаженном виде, дребезжало и распадалось на несколько вороньих стай, которые, каркая: «Корчите, кар-кар-р-р-р-р», влетали прямо в голову, больно ударяя в лоб острыми клювами. За что вы меня? Холодно. Пупель попыталась натянуть одеяло на голову. Кто-то не давал ей это сделать.

— А-а-а-а... — застонала Пупель.

— Тише, тише, — проговорил голос. — Сейчас укольчик сделаю, не дергайся.

Пупель опять открыла глаза. Над ней склонилась женщина вся в белом.

— Повернись на бок, — посоветовала белая женщина.

— Нет! — попыталась выкрикнуть Пупель, но губы ее были вязкие и колючие, горло пересохло. Вместо «нет» выскочил только «е-е-е-е», буква «н» сглотнулась и куда-то пропала.

— Тише, не дергайся, вот и все.

Пупель ничего не почувствовала.

Белая женщина поправила одеяло.

— Поспи, тебе поспать надо.

Пупель погрузилась в пустоту.

Острый яркий свет вывел Пупель из небытия, она опять открыла глаза. Тот же серый потолок.

— Хочу писать, ужас, сейчас опишаюсь, — Пупель приподнялась, спустила ноги. Рядом с кроватью стояли чудовищных размеров тапки-оладьи.

Пупель сунула в них ноги, поднялась. Правая рука забинтована. В ночной рубашке в цветочек, едва прикрывающей пипиську, шаркая сваливающимися оладьями, Пупель сделала несколько шагов. Именно в этот момент она поняла, что находится в комнате не одна. На кровати у окна кто-то лежал, прикрывшись одеялом до ушей, а на соседней кровати сидела девушка. Пупель открыла дверь и зашаркала по коридору.

— Ты куда это направилась? — Женщина в белом преградила ей дорогу.

— Писать, — прохрипела Пупель.

— Туалет там дальше, я тебя провожу.

Пупель волочилась по длинному коридору, за ней шествовала женщина в белом.

В кабинках туалета не было дверей. Посередине большого помещения стояла огромная тетка-мамонт в коротком ярко-синем байковом халате с красными маками. Пупель затормозила перед колоссальными ногами, покрытыми темным ворсом. В нос ей ударил удушающий мерзостный запах. В лапах тетка-мастодонт держала кружку и клизму. От этой картины Пупель замутило. Писать вроде бы перехотелось, она рванула к выходу.

— Ты куда опять?! — гавкнула белая тетка. — Мочись, трусы только сними, — проговорила она уже более мягко, подталкивая Пупель к унитазу.

Из-за стенки соседней кабинки высунулась всклокоченная голова и с большим вниманием уперла свои глаза на спускающую трусы Пупель.

— Чего уставилась?! — гаркнула на нее белая провожатая Пупель. — Делай свои дела быстрее!!!

— Сейчас, — проскрипела Пупель, сама не узнавая своего голоса.

— Пойдем, надо карточку заполнить, вчера от тебя ничего добиться не смогли.

При упоминании о вчера внутри у Пупель что-то заскрежетало. По телу пробежал озноб. Женщина в белом халате взяла карточку и приготовилась записывать. Пупель топталась около столика, пытаясь пониже натянуть ночную рубашку.

— Имя, фамилия? — женщина в белом вопросительно смотрела на нее.

— Пупель, — пробормотала Пупель.

Женщина записала.

— Имя?

— Пупель, — опять зашелестела Пупель.

— Ясно, — белая женщина отложила карточку.

— Иди в палату — сейчас доктор тебя будет осматривать.

— Мне позвонить срочно надо, — хлюпнула Пупель.

— Мы сами позвоним, ты номер знаешь?

— Магде позвоните, ее номер 3467523.

— Сестра твоя?

— Подруга.

— Желательно родственникам.

— Позвоните Магде, — страдальчески простонала Пупель.

— Ладно, ладно, а отчество у нее как?

— Магде! — заголосила Пупель.

— Да позвоню, сейчас, не ори, блядь, как вы все меня достали, уроды, — заворчала белая женщина. — А ну, марш в палату.

Пупель вернулась в комнату и кинулась на свою кровать. Вчерашний день отрывками крутился у нее в голове, финала она не помнила. Внезапно страх опять охватил ее всю, она полезла под одеяло.

— Ну, как тебя зовут? — раздался громовой голос прямо у нее над ухом.

— Бесполезно, Василий Порфирьевич, — произнес другой мужской голос, — сейчас пока альпразолам поколем, а потом когнитивно-бихевиоральную.

— Анализы? — опять загромыхал первый.

— Кровь вчера.

— Личность установили?

— Она дала Магды какой-то телефон, — раздался женский голос.

— Звоните.

— Сейчас, как раз собиралась Васильпорфирич, — заоправдывался голос.

Пупель слышала какие-то стоны и всхлипы, она еще сильнее укуталась одеялом. Голоса стихли. Пупель погрузилась в состояние не то сна, не то забытья. Перед глазами мелькали обрывочные картины. Она шла в мастерскую Севашко, матовые глаза мертвого Севашко, какие-то всхлипы, бормотание, острое чувство страха, кто-то декламировал стихи жестким ледяным голосом — «только не сжата полоска одна, грустную думу...»

Во сне Пупель бежала. Опоздаю, опоздаю, крестьянин, господи боже, я могу, нет, я уже ничего не могу, он упал, голова стукнулась, она ведь могла разбиться, какой страшный звук, не может быть такого звука от головы, этого вообще ничего не может быть, я задыхаюсь, не могу дышать, я, наверное, уже умерла, и так теперь будет всегда, откуда такое мокрое поле, откуда эта полоска? Полоска раздваивалась, превращаясь в раму окна, стекло разбилось, темно. Мне выклевали глаза птицы, поэтому у Севашко они такие, я теперь ничего, никогда не увижу, это я умерла, а Севашко никогда об этом ничего не узнает. Пупель во сне душили рыдания, ей было больно, что Севашко не увидит ее смерти, потому что он даже полоску не успел сжать, вот она, поздняя осень, вот тебе и грачи улетели, мир ...

Кто-то пытался стянуть с нее одеяло. Пупель ухватилась за одеяло и застонала.

— Это я, — раздался знакомый голос.

Пупель открыла глаза. На кровати сидела Магда.

И дальше непонятнейший сумбур. Завяли в банке маргаритки.

В ту ночь, когда Офелия сошла с ума, рыбак поймал златую рыбку,

держащую под мышкой скрипку (такой нелепый каламбур).

Под мышкой скрипка верещала, и мышка рыбке пропищала:

«Мне жаль Полония, Мон Дью, он не попал в его ладью»

(в виду имея рыбака, того простого старика, который, вопреки старухиным советам, к буддизму шел, и тоже кончил жизнь с приветом).

Он через Стикс задумал плыть. А тут увяли все фиалки. Вздохнула рыбка: «Очень жалко. Мне нравился их колорит. Как он погиб?»

Тут мышка замолчала, глазенки тюк, тюк, тюк, и слезка горькая упала.

— Его зарезали кинжалкой.

— Так Гамлет умер вроде позже? Тогда старухино корыто захлопнулось, как мышеловка.

— Вот это получилось ловко.

— Значит, он уснул и видел сны?

Вздохнула рыбка.

— Хочется весны, дождя, ложбины, кочерги, а иногда блесны.

— Зачах злосчастный Эльсинор.

— Завяли в банке маргаритки...

Глава 14

С помощью методов радиолокации выявлено, что Меркурий все же быстрее делает один оборот вокруг оси, чем виток вокруг Солнца.

Сим Красповиц был заинтригован. Виду он, конечно, не показывал, да и кому было показывать этот вид? Ежедневные встречи, заседания, дела, дела.

При первой же возможности, как только выдавалась свободная минута, он открывал рукопись, принесенную ему таинственной, всезнающей Магдой.

Удивляло его другое. Его секретарша Надя по этому вопросу очень напрягалась и прямо из кожи лезла, дабы что-то разузнать по поводу принесенных бумаг. Конечно, впрямую Сима она не решалась спросить, но какими-то нелепыми наводящими, скользящими фразами постоянно пыталась подвести Сима к этой теме, склонялась в три погибели над столом, вытягивала шею, как утка, выдвигала глаза на канатиках, пытаясь пробуравить насквозь закрытую папку. Сим делал вид, что ничего не замечает, уворачивался от невнятных вопросов при помощи невнятных ответов не в тему и получал от этой глупой игры несказанное удовольствие. «Тайна на тайне сидит и тайной погоняет, — размышлял он. — Вот, казалось бы, что Надьке до этого всего, так нет, прямо распирает ее, глазищами шарит, высматривает. Поживем, увидим, так даже интереснее, загадочно и непредсказуемо».

Принесенная рукопись была удивительно причудлива. Как говорится, вещь абсолютно в себе. Рассказы странного меркурианца со странным именем Устюг.

— А по бокам-то все косточки русские, — диву давался Сим.

Вещь ему нравилась. Был в этой утопической истории особенный колорит, по всему было понятно, что автор имеет какое-то чудно́е ви́дение и понимание. Иногда сходность чувств его самого и автора фантастической сказки приводила Сима в изумление.

«Магда — удивительный субъект, — размышлял Красповиц, — сумела меня так завести: как материал подала, как умело придумала историю про некую мифическую подругу. Вот настоящий маркетинговый ход. Люди ходят, таскают свои рукописи, заискивающе смотрят в глаза, не затруднит ли, не выскажете ли? А эта притащила, советов надавала по всем вопросам, с достоинством ушла, молодец Магда, ценю. Этому бизнес-скульптору Коняшкину, видимо, она где-то насолила; правда, он говорил про какую-то еще безумную приятельницу. Безумный человек такую вещь не напишет. Хотя, чем черт не шутит, может, действительно существует эта странная подруга. Вот этот кусок — стронциановое небо с охристыми отблесками солнца на серебристо-оливковых деревьях, прямо Коро. Может, эта терра инкогнита Магда и картинки рисует. По всему видно, человек в искусстве разбирается. Как она говорила, интересная трактовка конца света».

Красповиц открыл рукопись и с увлечением начал дочитывать последнюю часть под названием:

Пятый рассказ Устюга о городе Пермолоне

О, чудный город Пермолон, прекрасен ты при любой погоде, и под весенним лимонным дождем, и под красным снегом зимы. Ярко блестят твои стеклянные крыши, освещенные солнечными лучами. Ласково шелестят нежно-голубыми листами твои деревья. Нет и не было ничего прекраснее тебя, славный город Пермолон, милая моя родина.

По пришествии нового президента к власти народ конкретно подрасслабился. Мало-помалу воспоминания о старом президенте уходили в область далекую, так сказать, в историческую область. Теперь-то при новом президенте все абсолютно по-новому закружилось и завертелось. Ох, загомонилось все по-особенному. Теперь при новом президенте, когда выяснилось, что можно делать все, народ начал инициативу проявлять, сначала так потихонечку по чайной ложечке, а потом, видя, что все тип-топ проходит и даже приветствуется, развернулись капитально. Первым делом проблему с питанием стали решать, это по старой памяти, раньше-то трудновато с этим было разбираться, а теперь, на новых рубежах, пожалуйста, кушать подано. Столо-

вок понаоткрывалось, всяких закусочных, переку-
сочных, перехваточных. Начали варганить различные кушанья из всего, что ни попадя, и кормить народ. Этот процесс очень сильно развился. Прелесть
его еще в том была, что ты хоть что приготовь, все
будет хорошо. А если кое-кто помирал слегка или
еще что, можно было справку купить, что у тебя все
в порядке, а эти все померли от того, что неправильно кушали или просто отчего-то еще. А если родственники умерших, например, в суд обращались, там
в суде, ха-ха, тоже все легко решить можно. Оплатил
справку в суд и нормалды. А если родственники, к
примеру, тоже залуплялись и свой баблос припла-
чивали, тогда...

Много таких организаций открылось, чтобы
справки выдавать. Они, организации эти, никогда не
пустовали. Опять же президенту сплошная выгода,
потому что часть денег ему лично шла, а остальная
часть тем, кто справки выдавал, те, в свою очередь,
часть президенту отдавали, чтобы крепче спать.
Очень все удобно было и хорошо, потому что каждый знал, деньги уплатил и делай что хочешь. По
каждому вопросу такие справки выдавались. Быстро все это организовалось, в один практически миг.
Вот кто-то, например, захотел дом построить в самом центре Пермолона посреди дороги, – пожалуйста. Оплатил, и дом стоит. А другой кто-то захотел,
например, поверх этого дома другую дорогу смас-
тербачить, и тоже – уплатил и ОК. А если тот, кто
первый дом поставил, не очень доволен, что его дом
в асфальт закатали, он, в свою очередь, может опла-
тить и опять поверх строить.

Немного эта возня напрягала, потому что много
материалов уходить стало и все время за справками

бегать скучновато. Но народ в Пермолоне был изобретательный, умный такой, находчивый народ.

Все стали покупать всякие оборонительные средства, чтобы если что, другие знали и чуть-чуть опасались. Это тоже все сложилось. Сеть таких специализированных магазинов оружия открылась, «Помоги себе» называлась. В этих супермаркетах чего только не было, и по-маленькому и по-большому. Если тебя слегка напугнуть – легкую пушку можно, а если покрупнее, бластер там лазерный или базуку пневматическую, были и потяжелее вещицы, спецпредложения и праздничные распродажи – все. Народ просто ликовал, к праздникам 70 процентов скидка – удобно. В общем, наконец-то все на свои места стало и приобрело свою жесткую логику. Каждому делу – соответственно своя цена и свое оружие.

Вот, к примеру, захотел художник выставку сделать и произведения свои продать населению. Раньше сколько с этим возни всякой было. Всякие люди мешали художнику до зрителя дойти и реализовать свою продукцию, все эти специалисты, якобы в искусстве понимающие и талдычащие: «Говно – на выставку нельзя, это вообще не искусство».

А теперь! Просто шик-тюрлюлю. Приходит художник с работами, деньги уплатил, если кто там уже висит на этой выставке, ну, на том месте, где он хочет свое разместить, он его продукцией из «Помоги себе» пугнет, и всё. При наличии средств каждый может смело искусство в массы продвигать. В этой области, как правило, люди пользовались легкой артиллерией, культура все-таки. А если это тебе уже серьезный базар, не какие-то картинки-скульптурки, там все покруче. Тут много народу, конечно, по первой подорвалось. Хочу завод, а его уже хмырь говенный вчера купил и загородил всякой тяжелой громозой, не подойдешь. Но что хорошо было на этот момент в Пермолоне, так это то, что все было возможно, если захотеть и деньги уплатить. Тогда проблем вообще никаких. Это так, на определенном отрезке времени было, а потом мало-помалу начали возникать всяческие проблемы, и чем дальше, тем все интереснее и заманчивее все стало прорисовываться.

В один прекрасный день слух прокатился по Пермолону, и даже неизвестно, откуда он просочился, но такой слушок пошел, что-де продана «Швакобаба». И все всё сразу поняли, не дураки. Эта «Швакобаба» всю жизнь под семью замками хранилась, не дай, не приведи и упаси, страшнее ее ничего не придумаешь, кнопочку нажмешь, и всё...

Народ рванул к пещере Бекара, страх обуял, дрожь, ужас и кошмар. Народ змеился длинной рекой на выход из Пермолона, всем пожить еще хотелось.

Бекар поначалу всех обустраивал, расселял, потом смотрит, народу до горизонта скопилось. Он мужик умный был, сразу все понял.

Собрался он, подпоясался и решил идти в Пермолон.

Люся, его любимая жена, говорит:

– Бекарушка, куда это ты собрался, народ сюда весь бежит, а ты куда?

Бекар отвечает ей:

– Люся, надо мне в Пермолон наведаться. А ты пока здесь с ребятами помогай распределять народ в пещере, чтобы давки не было.

Люся вся напряглась до ужаса и говорит:

– Как же ты туда пойдешь? Там ведь страх и жуть!

А Бекар грустно так ей в ответ:

– Милая моя Люся, ты у меня очень умная женщина и должна понимать, что если я пойду, переговорю с президентом, может, сумеем избежать, а если не пойду, то случится неизбежно.

Люся смахнула слезу и говорит:

– Ну, раз так...

Отправился Бекар в Пермолон.

Приходит – батюшки святы! Действительно, кошмар, реально ужас леденит душу. Грохот идет по всему городу: У-У-У-У-У-У-У-У-У-О! По дымному красному небу как страшные птицы летают паршитики военные, пропеллерами жужжат: дук – дук – дук. Повсюду таблеры ездят, гусеницами скрипят: ужи – ужи, дула свои страшные тычут. Со стороны космодрома ухи и канонада раздается: паф – паф! Ветер жутко свищет, несет ветер по городу сор всякий, обрывки, клочки, детские игрушки. Окна в домах все забиты, двери мешками завалены.

Меберы бронированные с сиренами по дорогам рассекают. Жутко звучат сирены, душу раздирают. Бекар к дворцу президентскому пробирается. Тут не пройдешь, камнями все завалено, там прохода нет. Еле-еле до центральной площади добрался, там тоже все перегорожено меберами. Высунулся из люка вояка и орет Бекару:

– Ты куда прешь, придурок? Вали отсюда.

Бекар говорит:

– Мне к президенту срочно надо.

Вояка заржал, пальцем у виска покрутил:

– Уноси свои ноги по-быстрому отсюда.

– Я опоздал, – слезы брызнули из глаз Бекара, – все пропало.

И именно в этот момент почему-то вспомнился Бекару давний яркий летний день, когда старший его сын Яшка был совсем маленький, лет двух, а Борьки еще и в помине не было. Люся ушла в магазин, Бекар сидел на лужайке перед домом и писал капус. Яшка возился около бассейна, увлеченно кидая в него игрушки.

И вдруг Яшкин крик: «А-а-а!» Бекар вскочил. Ребенка не было. Бекар рванул к бассейну. Яшка, подгребая маленькими ручонками, плыл, отфыркиваясь, как щенок, к бортику.

– А я и не знал, пап, что умею плавать, – пищал он.

Быстрее ветра кинулся Бекар назад к пещере, петляя, как заяц, по проулкам, усыпанным битыми стеклами, обегая стороной оцепление меберов. Грохот с космодрома нарастал. Это были уже не периодические ухи, а постоянный оглушающий гул, от которого содрогались дома и гнулись деревья.

Вырвался Бекар из Пермолона, бежит по дороге, а над ним птицы. Тысячи птиц все небо закрыли, хлопают крыльями. Ох, беда близка, ох, беда у ворот стоит.

«Только бы они сообразили, время бы не упустить, я-то, может, и не успею, да и хрен с ним, главное, чтобы они...» – крутятся в голове у Бекара мысли. Припустил он что есть духу, бежит, пот по нему льется, дыхание прерывается, спотыкается, ноги себе все в кровь разбил. Прибегает – у пещеры много еще народу толпится, и так все потихоньку внутрь заползают. Бекар протиснулся.

У входа Люся и его сыновья стоят, народом руководят. Люся его увидала: «Слава Богу», – говорит.

А Бекар: «Времени мало у нас, пусть скорее все заходят, пусть телом к телу прижмутся, там внутри разберемся, надо срочно дверь замуровывать».

Закрыли они дверь в пещеру, и замуровали ее, и задраили.

И тут грянуло. Звук раздался – и не грохот и не гул, а что-то совсем невозможное, и это невозможное такой силы было, что у всех в пещере уши заложило, а глаза на лоб вылезли. И шепот пошел по пещере: «ШВАКОБАБА».

И начал народ в пещеру углубляться, глубже, глубже, часть осталась у пещерной реки, часть по норам закопалась.

Бекар днями и ночами работал, помогал, глаз не смыкал. Каждый день поднимался он к смотровому оконцу. Было у них в пещере такое потаенное маленькое оконце со стеклышком особенным, чтобы наружу можно было смотреть. Однажды поднялся он к этому заветному оконцу, только хотел заглянуть, чувствует, его кто-то за подол дергает. Смотрит – мальчонка маленький за ним, оказывается, увязался, да так тихо, видно, крался, что Бекар его и не заметил.

– Что ты тут делаешь, малыш? – спрашивает его Бекар.

– Дядя Бекар, мне тоже хочется посмотреть. Ты каждый день смотришь, и мне интересно.

Бекар поднял к оконцу мальчика, тот глянул и говорит:

– Снег идет, дядя Бекар, а сейчас ведь лето, разве такое бывает?

Бекар говорит:

– Бывает один раз в жизни.

А мальчик опять спрашивает:

– Значит, я больше летом снега никогда не увижу?

Бекар взял мальчика на руки и говорит:

– Мы уже видели, нам повезло.

Мальчик засмеялся и говорит:

– Наш раз уже был, да, дядя Бекар?

Магда отправилась к Красповицу. Настроение у нее было приподнятое. Почему-то ей казалось, что все получится. Внутри образовалась некая уверенность, которая ни на чем не основывалась, а просто существовала, и всё.

Она поднялась на второй этаж особняка. Дверь в Надину комнату была открыта.

Надька, увидев Магду, заулыбалась.

— Заходи, заходи, — ласково зашелестела она. — Опять к Симу по делу?

— Да, пришла выслушать вердикт, — тоже с улыбкой проговорила Магда.

— А ты вообще сейчас где работаешь? — Надька решила зайти издалека и тихо-тихо, сапой-сапой разведать обстановку.

— Сейчас нигде временно не работаю, последние годы риэлтерствовала.

— Да ты чё? — В глазах Надьки читалось удивление.

— Где я только не работала, Надь, — продолжала рассказ Магда. — Одно время у бандюков убиралкой была.

Надькины глаза все сильнее округлялись. Информация была очень интересной, надо было побольше всего выведать, она сделала сочувственно-понимающий вид, закивала и с придыханием попросила Магду: «Как можно конкретнее и, кстати, в прошлый раз про Кирюшу тоже было очень кратко, без деталей».

— Да чего там рассказывать, Надь. — Магда казалась спокойной, как удав. — Он диссертацию писал, аспирантура, ничего у него не ладилось, как черепаха елозил, елозил, мне тогда казалось, что все могу, бросила университет, деньги зарабатывала, ему писать помогала, материалы всякие собирала... пойду я, Надь, к Симу, потом как-нибудь расскажу.

— Сим сегодня целый день будет, никуда он не денется, твой Сим, — скороговоркой затараторила Надька. — Сейчас пойдешь, ну в двух словах дальше-то что?

— Да, собственно говоря, ничего необычного, — продолжала Магда. По ее тону было видно, что ей хочется быстрей закончить этот разговор и отвалить по интересующему делу.

«Ну, уж нет, — думала Надька, — так просто ты не отделаешься, так просто я тебя не отпущу, ты у меня все расскажешь». Она скорчила совершенно неудобоваримо-сочувственную морду, взяла Магду за руку и чуть ли не со слезами на глазах пропела:

— Бедная Магда? Как ты это перенесла? Ты тогда работала или..?

— Тогда я работала, деньги были, диссертацию наконец-то защитили, я как раз подумывала о расширении жилплощади, присматривалась к трешке одной.

— И? — Надька вся дрожала от участливого нетерпения.

— А теперь мне в моей двушке одной очень хорошо.

— Он отвалил, делить не стали?

— Тут мне повезло, ничего делить не надо, он теперь как сыр в масле.

— Кто же позарился на такого тёху? Кому же он нужен, и немолодой ведь уже, он всегда, кстати, тебе не пара был, серый крот. А бабу эту, счастливую обладательницу, ты видела?

— Видела.

— Кто такая?

— Директор колбасной фабрики.

— Шутишь?

— А что тут смешного? Она ему очень подходит.

— Кириллу Владимировичу твоему, научному червяку? Ему что, колбасы не хватало?

— Да, оказалось, ему для счастья всегда не хватало простой любительской, с жирком, без всяких изысков.

— И ты после всего этого работу бросила?

— Угу.

— И что собираешься? — Голос Надьки затрепетал.

— Идейка одна есть. Надеюсь, все сложится, дело интересное.

— Это ты молодец, — участливость Надьки просто как ветром сдуло, на лице ее появилась хищная улыбка. — «По чужим головам решила прогуляться, — Надькины мысли ритмично, как на печатной машинке, отстукивались в голове. — Самая умная нашлась, идейки на чужих костях развивать, ну ничего, найдутся на твои идейки другие, посмотрим еще, кто кого». — После Сима еще заглянешь? — спросила она, тем самым давая понять, что теперь можно и паузу сделать. «Посмотрим, как разовьются события, — думала она, — а потом звонить Марку».

— Конечно, — Магда кивнула, — я заскочу.

Уверенной походкой она зашла в кабинет к Красповицу.

История Пупель

Пупель лежала в психушке. Время тянулось бесконечно медленно. Днем она чувствовала себя абсолютно здоровой, к вечеру все менялось. Чувство страха наваливалось внезапно, непредсказуемо. Она покрывалась холодным потом, залезала под одеяло, во рту появлялся неприятный кислый вкус и дальше — несдерживаемый поток мыслей, картинок и событий, в которых она не могла разобраться, и от этого страх нарастал с еще большей силой. Пупель казалось, что все эти образы просто заполняют ее до дна, и она, как Пупель, просто перестает быть самой собой, вместо нее существует маленькое темное пятнышко, на фоне которого вырастают как ядовитые грибы отвратительные монстры, против этих тварей нет средств. Они прячутся днем и потихоньку на цыпочках вылезают вечером, чтобы к ночи начать свои извращенные пытки стихами, завыванием, мерзкой тошнотой.

Пупель навещали родители и Магда. Мама приносила еду, фрукты, домашние котлеты, конфеты. Есть Пупель не хотелось, она, дабы не расстраивать маму, что-то надгрызала, глотала, запивала, но вкуса не чувствовала, еда вызывала у нее чувство отвращения.

Все в один голос говорили ей, что есть надо, что без этого выздоровление не наступит, что надо набираться сил, взять себя в руки. Пупель не сопротивлялась, она говорила:

— *Да, да, — и ничего практически не ела.*

Магда приходила каждый день, вернее, каждый вечер. С Магдой Пупель было хорошо и спокойно. Пупель вываливала ей все свои страхи и, как ребенок, обязательно требовала от нее сказку.

— *А теперь о Прокопии, — просила она.*

И Магда рассказывала в своей определенной манере, немного странно, немного преувеличенно, но очень интересно.

— *А ты думаешь ему, Прокопию, было легко? — говорила она. — Человек выбрал юродство. Это служение Богу — самое тяжелое и непостижимое для понимания. Все уважают набожных праведных людей, старцев, схимников, а к юродивым отношение плевое, юродивых, как правило, терпеть не могут. Юродивый юродствует, раздражает, достает. Все думают: «Да что же это такое? Что он ко всем лезет? В таком непристойном, неподобающем виде ходит, эксбиционист проклятый, тьфу, смотреть омерзительно, и без трусов. Это просто издевательство, и никакой он не святой, это просто насмешка, да пошел этот юродивый к чертовой матери, будет еще эта мерзота мне в душу плевать».*

Так и с Прокопием было, в страшный мороз, когда на паперти находиться было вообще невозможно, Прокопий отправился поискать место чуточку потеплее. И естественно, его никто на порог не пустил, и даже собаки в конуре на него рычали. Кому приятно выслушивать суровые слова, что ты полное ничтожество и живешь как говнюк, хоть и в церковь ходишь, и посты соблюдаешь. Никто не любит, чтобы ему рычали, что надо покаяться. В чем каяться-то? Пустишь придурка, а из него, как из помойного ведра, польется такое, что-де погибнет град, если все будут во грехе продолжать жить, и всякая другая пурга.

И собак тоже понять можно. Им места было жалко, они так угрелись, прижались друг к другу шерсть к шерсти, хвост к хвосту, а тут этот вонючка на черных сухих ножках, в мешке рваном, еды от него не дождешься, это уж точно, а места много займет, сожрать его толку никакого, что за радость в лютый мороз ледяные кости глодать.

Это потом Прокопий рассказывал священнику отцу Семиону, кстати – под страшным секретом, не хотел, чтобы при его жизни об этом знали, что в эту ночь, когда никто не пустил его погреться, он вернулся на паперть, весь скрючился, скорежился, закрыл глаза и чувствовал, что больше невмоготу.

И, наверное, в первый раз в жизни ему стало как-то не по себе. Начал он молиться, дабы скорее все это из себя изгнать. И вдруг откуда-то, неизвестно откуда появился беленький мальчонка, весь такой светленький, почти прозрачный.

Как будто из инея морозного сделанный, мальчишка держал в руках цветочки на палочках, такие синенькие цветочки, ни листиков, ничего, просто пришитые к веточкам, и самое чудное было, что в такой мороз от них шел запах весенний, как от набухших почек. А мальчонка этот ничего не сказал, он только этими волшебными цветочками на палочках Прокопия в носу пощекотал, и Прокопий чихнул, громко так, а-а-а-а-пчих. И после этого чиха разлилась по всему его телу теплота, вроде он чаю горячего выпил или бульону съел. И подумал Прокопий, что уже умер и от этого так ему хорошо. А на самом деле он вовсе и не умер, он лежал живехонький, практически голый на паперти в сорокаградусный мороз, с босыми ногами, без носков и прекрасно себя чувствовал, а к утру вообще потеплело до нуля. А умер он после этого через полгода в ночь на 8 июля.

Он отправился в Михайловский монастырь. У монастырской ограды Прокопий, почувствовав какую-то слабость, опустился на землю, хотел закрыть глаза и вдруг опять увидел прозрачного мальчика. Мальчик стоял прямо перед ним. Только на этот раз у него были другие цветы, таких красивых ярких цветов Прокопий никогда не видел. Красные большие лепестки свернуты трубочками, как маленькие бочонки, на стеблях шипы. Мальчик поманил его к себе и исчез. Прокопий с легкостью поднялся и радостно сказал: «Я иду к Тебе».

Теперь он точно знал, что час настал и Бог зовет его.

На заре поднялся сильный ветер. Нависли черные тучи. Стало холодно, и посыпал, повалил густой снег. Снег покрыл плотной шапкой леса, поля и огороды.

Люди в ужасе смотрели на это небывалое явление.

О Прокопии вспомнили только на следующий день – мол, и вчера у обедни и у всенощной его не было, а он никогда не пропускал ни одной службы. Туда-сюда, нету. Начали искать, и только на четвертый день увидели у ограды монастыря в снежном сугробе цветущий куст с ярко-красными благоухающими цветками, а под сугробом лежало тело Прокопия.

Пупель заплакала, ей стало легче.

— Я домой хочу, — зашептала она Магде, — я никогда бы не смогла быть юродивой.

— От тебя этого не требуется, — спокойно рассуждала Магда, — а домой ты скоро вернешься.

— Как я могу вернуться домой, когда дома у меня Погост, Господи, Боже мой, что я наделала?

— Эту проблему мы решим. Когда ты вернешься домой, там даже духа Погоста не будет, — пообещала Магда.

— Я боюсь, ты не знаешь, что это за человек.

— А я тебе говорю, что все будет хорошо, я обещала и сделаю. — В голосе Магды была такая уверенность, что Пупель совсем успокоилась.

— Там у меня в письменном столе, в верхнем ящике лежат тетрадки, ты могла бы их мне пока сюда привезти, я хочу кое-что написать.

— Завтра же привезу.

— А ты, правда, не боишься туда ехать?

— Нисколечко.

Прямо из больницы Магда отправилась на квартиру Пупель, дабы не затягивать процесс и ковать железо.

Погост открыл дверь — сразу с порога Магда очутилась в атмосфере дымного бивака. В квартире все было перевернуто вверх дном, повсюду валялись вещи, книги, склянки с лекарствами, мебель хаотично сгрудилась в центре комнаты. Не хватало только минных воронок.

— Чего тебе здесь надо? — Этот вопрос Погоста не предвещал ничего хорошего.

Магда моментально поняла, что о разрешении вопроса выселения мирным путем речи быть не может. «Ну, что же, на войне, как на войне», — подумала она и перешла в наступление.

— Я по твою душу, — жестко проговорила Магда. — Пора тебе отчаливать, необходима очистка и дезактивация.

— А не пошла бы ты отсюда! — завизжал Погост мерзкой дурниной. — Я у себя дома нахожусь!

— Хотелось бы напомнить одну маленькую деталь, — спокойно, но очень жестко отчеканила Магда. — Это не твой дом, на минуточку, это квартира Пупель.

Погост мерзотнейшим видом ухмыльнулся и, изгибаясь, как червяк на ветру, загнусавил:

— Так как она бежала отсюда, я считаю себя вправе...

— Напрасно ты это делаешь, я бы тебе сейчас вот что посоветовала: быстренько все прибрать, вынести мусор и отправляться восвояси, да, кстати, бумажку подписать надо.

— Какую еще бумажку? — Погост своим огромным телом начал надвигаться на Магду, пытаясь вытеснить ее в коридор.

— Что ты не возражаешь против развода.

— Умная нашлась, — глаза Погоста загорелись хищным огнем. — Я сейчас милицию вызову.

— Вызывай, — предложила Магда. — Они первым делом спросят, где жена, почему в доме такой бардак, что это за пузырьки?

Погост замахнулся для удара. Магда придвинулась к нему ближе, всем своим видом показывая, что не боится, и ледяным голосом провозгласила:

— Этого бы я тоже не рекомендовала делать, будет хуже.

— Убирайся немедленно, сука! — голосил Погост. — Чтобы духу твоего здесь!..

— Не хочешь по-доброму, как я советовала, будем по-другому, — слова Магды звучали как удары пле-

ти. — Ты думаешь, я пришла шутки тут с тобой шу-
тить, скотина, ты думаешь я интеллигентские
штучки буду прокручивать, ошибаешься, а милицию
ты не вызовешь, потому что ссышь, ты тут даже не
прописан, ублюдок.

Погост явно не ожидал такого напора. Возникла пауза. Глазенки его забегали, он что-то прокру-
чивал в своей башке. По этой внезапно возникшей
растерянности Магда поняла, что разведка боем
была проведена удачно и можно смело переходить в
наступление.

— Ты даже представить не можешь, какие по-
следствия могут в одночасье приключиться, если не
последуешь моему доброму совету.

— И что бы это могло быть? — ернически начал
Погост. — Ты меня ужалишь ядовитым жалом?

— Даже мараться не стану, я брезгую, жало у меня для других целей, и самое интересное заключается
в том, что самой мне делать ничего не придется.

— Темные силы призовешь? — ухмыльнулся Погост.

— А ты, оказывается, не так глуп, как кажешься
на первый взгляд.

Погост осклабился.

— Тут мы еще посмотрим, кто кого, — заши-
пел он.

— Нет, все-таки первый взгляд всегда точный, —
продолжала Магда. — Все будет очень просто, никакой мистики. Это будут обыкновенные темные силы,
жизненные и весьма действенные. Я работаю уборщицей у этих сил. Там мне не откажут, и я бы даже
сказала, посодействуют. А самое главное, это всегда
меня удручало, но в данной ситуации весьма обнадеживает — никакой управы, полная безнаказанность,
концов не найдешь, работают как часы, такая уди-

витательная стройность и слаженность. Я думаю, они
смогут навестить тебя сегодня же, попозже, я там
на хорошем счету, достойную убиралку труднее найти, чем хорошего киллера, этого добра вал вали, а мы
в дефиците. Все любят чистоту. — Магда ногой под-
дела пузырек на полу.

Погост молчал.

— Значит, план таков, — продолжала Магда. —
Сейчас подпишешь бумажку, отдашь мне ключи и
начнешь приборку помещения, я бы с радостью тебе помогла, но у меня принципы — не убираю после
работы. Потом отправишься на свою квартиру, а я
домой съезжу, переговорю там туда-сюда и вернусь, и, конечно, желательно, чтобы к тому времени тебя тут не было, самому будет спокойней, уверяю тебя.

— Мне надо поговорить с Пупель... — заблеял
Погост.

— Не надо, вы все уже друг другу сказали.

— Это не может исходить от нее, это ты все
подстроила.

— Смею тебя заверить, это ее самое заветное желание, а я обещала помочь, как друг, да, кстати, открой окно, я вернусь, закрою, тут дышать нечем. Я
хочу, чтобы по возвращении домой Пупель смогла дышать полной грудью.

Магда направилась к письменному столу и достала стопку тетрадей.

Погост вяло топтался на пороге комнаты, весь
его гонор, как ветром сдуло, он явно обосрался. За несколько минут бумага: «Я, гражданин Погост, дата
рождения, номер паспорта, место прописки, не возражаю против расторжения брака, заключенного
тогда-то, тогда-то, таким-то отделением ЗАГСа,

номер свидетельства и т. д. и т. п.» была подписана, ключи от квартиры перекочевали в Магдину сумку.

— Прощай, Погост, я надеюсь, ты будешь благоразумным, — с этими словами Магда захлопнула дверь и удалилась.

Жил в седом тумане моря дух страдания. Звали духа Тутитамон.

По утрам ложился спать, а ночью песни пел печальные.

От чего печалился, не знал и сам он. Ну, а если песни петь печальные Тутитамону надоедало, он слезами обливался, в отчаянии рыдал, и все ему казалось мало. Все же плакать беспрестанно было тоже очень тяжко.

И тогда он грустно хныкал, подвывал слегка, бедняжка.

Жил в лучах рассветных, розовых дух надежды и мечтаний. Имя духа — Тутитамон, просто так, без притязаний. Ночью спал в своих покоях, по утрам, лишь солнце встанет, становился беспокойным от надежды и мечтаний.

То надеется часами, то мечтает без предела, чередуя по порядку это все, для пользы дела. А когда мечты, надежды все ж ему надоедали, превращался Тутитамон в духа скорби и печали.

Глава 15

Древние греки времён
Гесиода называли
Меркурий
«Στίλβων» (Стилбон, Блестящий).

Сим Красповиц сидел за своим столом как царь на троне, только не в венце, но явно с думой на лице. Он что-то писал в блокноте. В его огромной руке изысканная перьевая ручка смотрелась тонкой былинкой. Магда поздоровалась.

— Извините, что отрываю, Сим Савович, — любезно заговорила она.

— Проходите, проходите... — Сим приподнялся со своего трона и слегка поклонился, указывая на кресло перед столом. Магда уютно расположилась в кресле, мило улыбаясь своей странной улыбкой.

— К сожалению, еще не успел прочитать, — извинительно вымолвил Сим.

Магда расстроилась. «Почему же? Мне казалось, что все получится, — думала она. — Неужели как всегда, а потом будет не тот формат, попробуйте в какое-нибудь другое место, я занят».

— Я понимаю, что вы очень занятой человек, — проговорила Магда. — Я могу зайти в любой другой день, который вы мне определите, — с этими словами она приподнялась с кресла, собираясь расшаркаться, дабы не быть назойливой и не навредить делу.

— Вы уже уходите? — с удивлением спросил Красповиц.

— Не хочу отвлекать.

— А вы и не отвлекаете, я хотел кое-что у вас спросить.

Магда опять погрузилась в кресло, выдерживая паузу и не задавая никаких вопросов.

— Вы литератор, Магда?

— Нет, а почему вы спрашиваете?

Красповиц как-то замялся.

— Почему-то мне это пришло в голову.

— Я профессиональный читатель, Сим Савович.

— А ваша странная подруга, она кто?

— Она дизайнер.

Красповиц удивленно посмотрел на Магду.

— Занимается интерьерами, — продолжила Магда.

— Пишет романы о конце света, а в перерывах занимается украшением гостиных?

— Можно, наверное, и так сказать.

— И она сама никак не могла принести мне свой труд?

— Я этого не говорила, Сим Савович, я говорила, что она его бы вам неправильно поднесла.

— Как это неправильно? Пришла бы на руках, а ногами рукопись держала?

Магда улыбнулась. Она чувствовала какое-то недоверие Красповица, какой-то он был другой,

нежели в прошлую их встречу. В чем было дело, она
понять не могла, но это ее расстраивало. Сим как-
то чересчур внимательно ее рассматривал. От этих
взглядов Магде было неуютно.

— Что вы, Магда, сегодня мне ничего не рассказываете, не объясняете, не просвещаете?

Магде показалось, что этот вопрос был задан
Симом с ехидством.

— О чем вам рассказать Сим Савович? — грустно
спросила она.

— О юродивых.

— А что вам хочется о них узнать?

— Все.

— Вы знакомы с Кириллом Владимировичем?

— Нет, а кто это?

— Мой бывший муж.

Красповиц с любопытством смотрел на Магду.

— Ваш бывший муж был юродивым?

— Нет, он написал диссертацию по «Житиям
юродивых».

— Что вы говорите, значит, я попал в точку?

— Сейчас это уже не имеет ко мне отношения.

— А ваша подруга?

— Она всегда любила слушать эти истории.

— Какие?

— Я много ей рассказывала, так как в свое время
собирала материалы.

— Вы же говорили, что вы не литератор?

— А что, только литераторы собирают материалы?

— Нет, конечно.

Магда понимала, что они с Симом погружаются
в пучину бессмысленных рассуждений, она не могла уловить, к чему клонит Красповиц, и почему-то

от этого непонимания растеклась у нее внутри грусть. Так бывает у маленьких детей, когда они перестают верить в Деда Мороза. «Не складывается у меня доверительный разговор и, наверное, ничего вообще не получится, к чему все эти переливания из пустого в порожнее», — думала она. На грани отчаяния и ненависти к своему бессилию Магда вдруг начала свой монолог.

— Да, я не литератор, Сим Савович, — голос ее зазвучал звонко и стройно. — Мне не удалось им стать по ряду разных причин. Я люблю литературу и даже отучилась несколько курсов в университете. Я занималась всю жизнь, можно сказать, полной чепухой, я помогала человеку, который не нуждался в моей помощи. Теперь я снова хочу помочь человеку, но, в отличие от того раза, я точно знаю, что моя подруга нуждается в моей помощи и она достойна всего самого лучшего. Вы просили меня рассказать о юродивых, я понимаю, это не простое любопытство. Есть в вашем вопросе подоплека. Вы хотите что-то узнать, а впрямую не спрашиваете. Чего вы боитесь? Изучая «Жития», я многое открыла для себя. Видимое глазу — обман. На самом деле все намного глубже. Я, конечно, могу вам долго рассказывать о том, что время юродивых давно прошло. Сейчас юродивых нет, они и раньше-то встречались крайне редко. Эти странные божьи люди так и остались до конца никем не понятые. Вы будете кивать, слушать, примерять на кого-то что-то, делать свои выводы. А если вам действительно интересно мое мнение об этом явлении, так оно достаточно банально, ничего нового на эту тему я не придумала. Что такое юродивый по своей сути? Юродивый — это совесть и свобода. И мне абсолютно не хочется верить, что эти понятия ушли из нашей жизни. В наше время тоже попадаются особые люди с открытым сердцем и чистыми помыслами, которые говорят то, что думают. Мне почему-то показалось, что вы именно такой человек.

Красповиц слушал.

— Мы с вами практически не знакомы, — говорила Магда. — Одно общение на отвлеченную тему я не беру в расчет. Я пришла к вам в роли просителя, понимая, что таковых у вас очень много, вы человек влиятельный и сильный. Не буду от вас скрывать, я носила эту рукопись в другие издательства, и там меня вообще не поняли. Это не имеет никакого отношения к ее художественной ценности. Тут я компетентна, могу смело утверждать. Теперь, почему я пришла к вам? Вопрос, который вы, наверное, задаете себе. Тут ответ неоднозначен. Я знала о вас, я читаю прессу и нахожусь в курсе событий. Я человек практический, но и у практических людей случаются иногда в жизни вещи, которые никак не укладываются в их практическое понимание. Мне посоветовал обратиться к вам человек, которого я не знаю, никогда не видела и не слышала. Я не юродивая, но мне явно был голос, который сказал: «Иди». Вот смейтесь, не смейтесь — все вам как на духу вывалила. Подруге моей я ничего пока не рассказывала. Мне хотелось обрадовать ее, сказать — чудеса случаются, мир не без добрых людей.

— Конечно, чудеса случаются на свете, и мир не без добрых людей, — задумчиво проговорил Красповиц. — Некоторые даже спасают всякие народы в пещерах и лезут на рожон, не щадя живота своего, ради того, чтобы всем стало хорошо под снегом ядерной зимы.

Магда улыбнулась.

— Мы напечатаем произведение вашей подруги, это уже решено, у меня к вам другой вопрос.

Магда опять улыбнулась и очень внимательно посмотрела на Сима.

— Вы сейчас где работаете?

— В данный момент у меня тайм-аут, — проговорила Магда.

— Это очень хорошо.

— Мне было это просто необходимо.

— Но в принципе вы не против работы? — насторожился Красповиц.

— Нет, в принципе я от работы не бегу.

— Я хочу предложить вам интересную работенку. Магда кинула на него быстрый любопытный взгляд.

— Как вы на это посмотрите?

— Трудно сказать, — спокойно начала Магда. — Смотря что за работенка и насколько она меня заинтересует, хотелось бы немного конкретики.

— Я думаю, она вас должна заинтересовать, — продолжал загадочно Сим.

— Я вся внимание.

— Видите ли, Магда, — доверительно заговорил Красповиц. — У нас, я имею в виду наше издательство, есть и редакторы, и корректоры, и маркетологи, и дизайнеры, и все, все. А главного нет, и вот на протяжении долгого времени я ломал себе голову, как бы это главное отыскать, и ничего у меня не получалось. А я, надо вам честно признаться, откровенность за откровенность, очень не люблю, когда не получается, и весь буквально извелся, дабы раздобыть. «Искал в полях, искал в лесах, искал я даже в печке» — все впустую. А тут вы как снег на голову. Мне очень понравилась рукопись вашей подруги. Я не буду сейчас разбирать ее художественные достоинства. В ней есть главное — талант, искренность и доброта. Мне бы хотелось, чтобы наше издательство выпускало как можно больше произведений, имеющих такие качества. У каждого издательства есть свои цели. Наша цель — давать надежду. Слава Богу, у нас есть возможности. В первую очередь качество, направления и разные тенденции не имеют значения, чем разнообразнее — тем интереснее, мы должны печатать все самое лучшее. Нам нужны подлинные открытия.

Магда слушала.

— Я одного только не понимаю... — заговорила она.

— Чего именно?

— Своей роли.

— Это будет главная роль.

— А что будет входить в мои обязанности?

— Все, исключая техническую часть, тут у нас имеются хорошие специалисты. Подбор материалов, формирование серий, работа с авторами, поиск. Мне кажется, вас это должно заинтересовать.

— А почему вы уверены, что я справлюсь с такой трудной задачей?

— Я человек деловой, практический, — заговорил Красповиц, пытаясь подделаться под Магдин тон, — но и у практических людей случаются иногда в жизни вещи, которые никак не укладываются в их практическом понимании, мне явно был голос, который сказал: «Это она».

Магда засмеялась. Ее внутреннее напряжение спало, на душе стало легко и спокойно, тень минувших тревог осветилась ярким светом.

— Давайте попробуем, — бодрым голосом выговорила она.

— Вот и славно, вот и замечательно, — на лице Красповица сияла улыбка, — можете хоть завтра приступать. Издательство наше находится в другом месте, на Таганке, Николоямская улица, дом шестьдесят четыре. Вам далеко добираться?

— Нет, мне это удобно, даже удобнее, чем сюда ездить.

— Вот видите, как все хорошо складывается? Магда привстала с кресла.

— Еще один вопрос, о практичнейшая Магда, — пропел Красповиц.

— Да, Сим Савович.

— Мы не обговорили вашу заработную плату. На какую сумму вы рассчитываете?

— Главная роль, включающая в себя все обязанности, исключая техническую часть, в этом у меня сомнения, практика показывает, что избежать техническую часть никак не удается, ненормированный рабочий день — я думаю, Сим Савович, эта работа должна хорошо оплачиваться, тем более, по вашим словам, возможности есть.

Сим захохотал, содрогаясь всем своим могучим телом.

— Вы, как всегда, правы. Да, кстати, под каким именем мы будем печатать вашу инкогнито-подругу? Придумаем псевдоним?

— Тут и придумывать ничего не надо, Сим Савович. Псевдоним у нее с рождения, если мы напечатаем роман под ее настоящим именем, получится вроде как не ее.

— Теперь, когда мы вместе работаем, могу я узнать эту тайну, покрытую мраком? — спросил Красповиц.

— Никакой тайны нет, ее зовут Пупель.

Магде показалось, что Красповиц как-то очень внимательно на нее зыркнул, это был секундный взгляд изумления, а может, никакого изумления не было, и ей это просто почудилось.

— Пупель, — проговорил Красповиц абсолютно спокойно. — Это по-немецки кукла?

— Да, внешность кукольная, а внутри все намного сложнее, она рассказывала, что дядя ее так назвал, и прилипло, прикрепилось навечно.

— К куклам привязываются, куколки они такие, детская любовь не уходит, и вдруг из шкафа, из глубины веков, смотрит на тебя своими пластмассовыми глазами, — бормотал Сим. — Значит, завтра отправляйтесь в издательство, там вас будут ждать, я им позвоню, будем на связи.

Ошарашенная, Магда вышла из кабинета Красповица. На ее лице сияла блаженная улыбка, тепло разливалось по всему телу, она как бабочка запорхала по коридору, едва касаясь пола. Пролетая мимо секретарского кабинетика, она просунула голову и помахала рукой разговаривающей по телефону Надьке. Та прикрыла трубку рукой и вопросительно кивнула.

— Все отлично, все получилось, и даже лучше, чем я ожидала! — восторженно провозгласила Магда. — До скорого! — Она послала Надьке воздушный поцелуй и вылетела из особняка Красповица.

«Чудо случилось, случилось чудо, и кто бы мог подумать? — проносились в Магдиной голове сумбурные мысли. — Блеск, просто блеск!»

Закончив деловой разговор, Надька принялась названивать Марку.

— Марк! — завыла она в трубку. — Змея приходила, отсюда ушла, вся прямо сияла!!! Ты был прав, она сказала, получила больше, чем рассчитывала, надо скорее осуществлять то, что задумали. Вечером жди меня, освобожусь и пулей к тебе, это не телефонный разговор.

История Пупель

И вот, наконец, настал тот день, когда Пупель выписалась из дурдома.

Она лежала там долго, очень долго, болезнь отступала медленно. Пупель делала записи в своих тетрадях. Эти записи не являлись каким-то цельным материалом, фрагменты, отрывки, но это очень способствовало ее душевному восстановлению. Соседок по палате звали Валентина и Зинаида. Валентина вообще не разговаривала, на вопросы не отвечала и сама их не задавала, она спала целыми днями. С Зинаидой получилось неожиданно. Как-то ночью Пупель одолел очередной приступ страха. Она забилась под одеяло и там хлюпала и хрюкала. Внезапно она почувствовала, как кто-то добрый и теплый ласково прижался к ней. От этого неожиданного прикосновения страх у Пупель куда-то испарился, она приоткрыла глаза и увидела Зинаиду.

— Не бойся, — зашептала Зинаида, — это я.

— Я уже не боюсь, — тоже шепотом ответила Пупель. — Все прошло, как только ты легла ко мне.

— Ты стонала, и мне не спалось, здесь так холодно.

Всю ночь они лежали, согревая друг друга и шепчась.

В жизни случаются удивительные совпадения. Зинаида тоже училась в Высшем художественном заведении, и тоже на обивке. Очень красивая девушка. Невысокого роста, с длиннющими черными волосами и таинственными ярко-синими глазами. Пупель казалось, что глаза Зинаиды обладали волшебным свойством светиться в темноте. Это даже было не свечение, а какое-то особое загадочное лучение. В институте они никогда не встречались, а тут в больничке познакомились. Зинаида была постоянным пациентом психиатрической больнице №3, а в перерывах училась в Высшем художественном заведении. И надо сказать, Зинаида просветила Пупель о тех несказанных преимуществах, которые появляются у студента, имеющего справочку из психиатрической больницы №3.

Но это было уже в другой раз. В ту ночь они говорили о жизни, живописи и о красоте.

Зинаида делала курсовую работу, да, да прямо в больничке, она рисовала проект обивки кресла. Что это была за обивка — диво дивное, чудо чудное: в ней присутствовали все цвета радуги, она переливалась и выглядела как фрагмент райского сада, с удивительной изысканностью располагались в раппортной последовательности павлины, попугаи, длинноносые удоды, сплетенные между собой лавровыми голубыми листьями и диковинными цветами. Пупель, увидев эту радужную картину, не сразу даже поняла, что это обивка, ей в голову не могло прийти, что такая красота может иметь прикладное значение. Фантастическая работа.

— Как же у тебя примут такой проект? — спрашивала удивленная Пупель. — Это же категорически запрещено, можно только серым и бежевым.

И вот тут Зинаида рассказала все о преимуществах.

— Когда я, выписавшись отсюда в первый раз, принесла курсовую работу Василию Сергеевичу, — голос у Зинаиды тоже был необыкновенный, такой низкий с хрипотцой, очень глубокий, — он что-то начал вякать о том, что нельзя, не положено, даже ножкой как-то топнул, крикнул, кто тебе разрешил? Я ему сразу объяснила, что у меня имеется особое персональное разрешение. Он, естественно, спросил, от кого? Пришлось объяснить, что это мне Господь разрешает, и не только разрешает, он мне посылает образы и цвета. Василий Сергеевич начал, как ему казалось, угрожать, вроде того что меня выгонят, спрашивал, что мне Господь еще разрешает? Ну, что делать с несчастным завом кафедрой? Пришлось открыть свою тайну.

— А какая это тайна? — Пупель вся горела от любопытства.

— Тайна заключается в том, что Господь мне разрешает все. Я так ему и сказала.

— А он? — Пупель смотрела на Зинаиду с восхищением.

— Доказательств попросил, наивный.

— А ты?

— Я показала справку из нашей больницы.

— И что?

— Теперь он меня как огня боится и никогда не пристает.

— Здорово, а как ты думаешь, мне дадут такую справку?

— Обязательно, — успокоила Пупель Зинаида, — это пропуск или билет в свободу творчества, называй как хочешь.

— Это радует, я так мучилась, а теперь они оставят меня в покое. Я рассказы пишу.

— Теперь ты можешь все, — говорила Зинаида, — только приходится часто бывать здесь. В этой палате еще хорошо, иногда я лежала в других, и там мне совсем не нравилось.

Пупель выписалась из больницы, а Зинаида осталась. Больше они никогда не виделись. Пупель после выписки еще долго не ходила в Высшее художественное заведение. А когда пришла, Зинаиды там не было. Она ушла в свои райские сады с удивительными птицами и растениями, получив вечный билет в свободу творческих воплощений и перевоплощений.

Так как Пупель не болела шизофренией, спасительной справки ей не полагалось, поэтому у нее потекли обычные дни и месяцы, все, как один, в монохроме бежевого цвета. Конечно, радовало общение с Магдой. Настоящий преданный друг. Как она убрала квартиру к ее возвращению! Духа Погоста вообще не ощущалось. Чистота, уют. Магда очень одобряла новое занятие Пупель, ей нравились ее рассказы. «Пиши, у тебя хорошо получается», — всегда повторяла она.

Ничего особенного не происходило в жизни Пупель. Она училась, делала проекты, подрабатывала шрифтами. Дело шло к диплому. И тут ни с того ни с сего внезапно возник Марк. Он никуда и не пропадал на протяжении всего этого времени, просто они с Пупель не общались, и вдруг почему-то он опять загово-

рил с ней в курилке. И ни о чем особенном они тогда даже не поговорили, просто так, обыкновенный разговор, но после этого разговора он как-то стал на нее поглядывать, потом позванивать, потом захаживать. Пупель воспринимала его спокойно, без каких-то эмоций, может, это его заводило, а может, его подкупала ее удивительная простота. Обычно люди не очень любят распространяться по поводу своих отклонений.

К Пупель вообще не подходило слово «обычно». Странный взгляд, фарфоровая кожа, длинные ресницы, рыжие локоны, а главное — удивительная непосредственность и непредсказуемость. Она, к примеру, сразу ему все вывалила по поводу своей болезни.

— Понимаешь, — говорила она, — смерть Севашко свела меня с ума. А можно сказать, что, наоборот, я пришла в ум, только это уже другой ум, тот ум, который кажется глупостью, а на самом деле глупость была до того. Мне казалось, что Севашко вечный, я думала, что смерти вообще нет, о ней только в книжках пишут. Я о ней думала совсем по-другому. Мне казалось, что она фантастична и где-то далеко. Оказывается, смерть рядом, так смотрит и говорит, ну-ну, пока походи, попрыгай, а потом уже — моя власть. Я приду, и ты станешь кукольным, игрушечным, глаза у тебя будут пластмассовые, руки ватные, а потом и каменные, и ты уже никогда не будешь тем, что ты есть. Ты уже не человек, не зверь — никто, ты что-то неживое, ты — тело. А что такое тело? Вот говорят, это физическое тело, значит, труп — это физическое тело? Я видела Севашко за несколько дней до того, как она это с ним сделала. Он даже не подозревал. Он шел бодрым шагом. А потом явилась она, и всё. И он, взрослый самостоятельный человек, учитель, пошел за ней, как козлик на веревочке, а мне сказал: «Передай всем, что я умер», и шел дождь. Голова его умерла раньше, чем он сам, тело еще двигалось, а голова была мертва, она стукнулась об пол, как тяжелый каменный мяч. Теперь у меня все хорошо, только по ночам снятся страшные сны. Только грусть и странные видения, зато могу делать все, что хочу. Теперь я пишу рассказы, а Магда их читает. Не боятся смерти только святые люди. Святые и юродивые не превращаются в физическое тело. Они легко идут к смерти, и она их боится, потому что знает, что они ей целиком достаться не могут и даже могут ее погубить. Она трудится, пыхтит, делает их мертвыми, а на этом месте тут же родится цветок или дерево, и опять жизнь, а где жизнь, там нет смерти. Я не святая и не юродивая, поэтому я боюсь смерти, и даже воспоминания о ней приводят меня в трепет.

Это было уже после защиты дипломного проекта. Марк вдруг ни с того ни с сего заявил Пупель, что расстался с Надькой.

Пупель это удивило.

— Почему? — задала она как всегда непосредственный вопрос.

— Потому что я тебя люблю, — выпалил он. — Я хочу быть с тобой.

«Любовь, — думала Пупель, — дается человеку один раз в жизни. И тут уж зависит от самого человека, сумеет ли он удержать эту хрупкую вещь, сумеет ли он бережно ее нести, не уронив, — всю жизнь. Любовь трудно найти, а потерять легче легкого. Одно неловкое движение, и ее нет. Часто возникают такие опасные острова, которые манят своей якобы особенностью, а на самом деле там нет ничего, и у *тебя тоже уже ничего нет. Она прячется в воспоминаниях, в остром ощущении потери. И потом плачь, рви на себе волосы, проклинай себя — бесполезно. Не сумел ты удержать и навсегда остаешься лягушкой, и нет Ивана Царевича, он обиделся и ушел. Нет ни волшебных клубочков, ни заколдованных селезней, ничего нет. И от этого отчаяния рождается безразличие и апатия».*

— Мне с тобой спокойно, — сказала Пупель, имея в виду эти два признака отсутствия любви.

— Жить будем вместе? — спросил обрадованный Марк.

— Никогда, — тут Пупель была категорична.

— Это еще бабушка надвое сказала, — решил Марк, — никогда не говори никогда.

После антидепрессанта стало явно легче. Нет ни черного десанта, нет ни желтой желчи. Вижу небо серо-серо и кусочек тучи. Задаю вопрос, к примеру, так на всякий случай, делаю себе проверку: «Ну, айда, с обрыва?».

Неохота с этой меркой жить без перерыва. Неспокойно, но и все же дышится получше.

Вот и небо серо-серо, вот кусочек тучи.

Глава 16

Скорость вращения планеты вокруг оси — величина практически постоянная, в то время как скорость орбитального движения постоянно изменяется.

На участке орбиты вблизи перигелия в течение

примерно восьми суток скорость орбитального движения

превышает скорость вращательного движения.

В результате Солнце на небе Меркурия останавливается

и начинает двигаться в обратном направлении —

с запада на восток. Этот эффект иногда называют эффектом

Иисуса Навина, по имени библейского героя, остановившего движение Солнца.

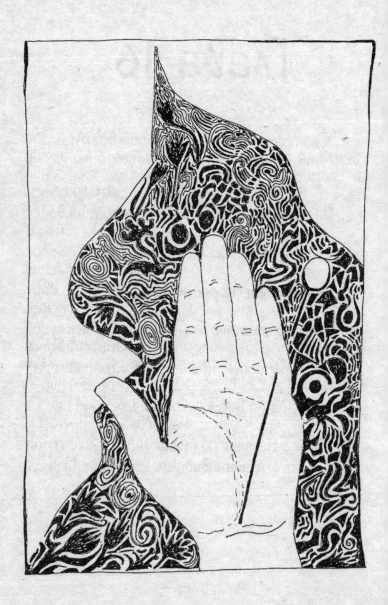

После того как Пупель отдала свою рукопись Магде, внутри у нее все время боролись два чувства. С одной стороны, ее радовало, что она все-таки написала, с другой стороны, постоянные сомнения по поводу написанного терзали ее. «Как получилось, так получилось», — говорила она себе. А как получилось, сказать четко, справедливо и объективно, она не могла. Еще один вопрос сильно ее волновал. В рукописи присутствовали рассказы Устюга. Посоветоваться с Магдой она не могла, потому что скрывала от нее этот факт. А вдруг все, что написано, гроша ломаного не стоит? Тогда вообще получится нечестно, получится, что это чистой воды плагиат. Интерьерный заказ тоже был сделан.

Пупель за последнее время привыкла, что у нее нет ни одной свободной минуты, отсутствие всякой работы вызывало дискомфорт. «Пойду, прогуляюсь», — решила она.

На улице было холодно и очень ветрено. Она направилась на Тверской бульвар, там всегда много народу и фонарики горят. Народу на бульваре было действительно много, Пупель показалось, что вдалеке движется фигура Марка. «Повсюду все мне мерещится, — подумала она. — Все-таки я многого уже достигла за короткое время нашего знакомства с Устюгом, а главное — кошмары перестали терзать во сне. Интересно, где он сейчас и когда появится? Жалко, что он мне не принадлежит и никогда не объясняет причины своих отлучек. Вот если бы я была его жена, я бы тогда с полным правом могла задавать вопросы, где ты был с восьми до одиннадцати? Вообще, это было бы очень удобно. Прямо как в приключенческом фильме «Мой муж — невидимка». Приходят журналисты брать интервью и, конечно, задают вопросы о личной жизни, как и что? А я спокойно говорю: мой муж удивительный, добрый, чуткий. Они, конечно, спрашивают, чем занимается, а я простенько так, спокойно объясняю, что главная цель его — делать невидимое добро, помогать заблудившимся найти дорогу. Они кивают, просят познакомить, и тут их ожидает главный сюрприз...» В приятных размышлениях Пупель подходила к своему дому, сделав небольшой традиционный круг по бульвару.

Во дворе было пустынно и темно.

— Что это такое? — Пупель споткнулась и увидела лежащего на земле старика.

Он посмотрел на нее и, протянув руки, захрипел:

— Спаси меня, смерть пришла за мной, я вижу ее, она стоит за твоей спиной. Придержи мне голову, она сейчас упадет и расколется. Ты виновата, ты опять опоздала.

По телу Пупель поползли мурашки, голова закружилась.

— Помогите! — закричала она на весь двор. — Помогите!

— Не кричи, — застонал старик.— Ее не отпугнешь, она уже склонилась надо мной.

— Я сейчас «скорую» вызову, — Пупель хотела рвануть домой.

— Не успеешь, — шептал старик. — Держи мою голову.

Страх концентрировался внутри, Пупель уже чувствовала мерзкую горечь во рту, поток мыслей проносился в голове — это крестьянин, опять осень, опять смерть. Старик закрыл глаза и застонал.

— Прикидывается, — внезапно раздался голос откуда-то сзади.

Пупель обернулась. На земле сидела собака и виляла хвостом.

— Откуда ты знаешь? — удивленно спросила Пупель.

— Он не пахнет смертью, просто валяет дурака, пугает тебя.

— Что же теперь делать? — Пупель замерла в полной растерянности.

— Ничего не надо делать, иди домой.

Собака угрожающе двинулась на старика.

— Ах ты, мерзкая тварь! Кривляешься, лежишь, изображаешь черт-те что! — вылаивала она. — А если я тебя кусну сейчас, гадину, оживешь или как? — Собака цапнула лежащего за ногу, тот с диким воплем вскочил и кинулся бежать со двора.

— Ебтыть, мы так не договаривались! Проклятая
собака меня укусила, это будет еще дороже стоить,
а вдруг она бешеная, вон хвост как висит! — Старик
схватил с земли камень и швырнул в собаку.

— Вот мразь! — пролаяла собака.

Пупель с трудом приходила в себя.

— Пойдем ко мне, — предложила она собаке.— У
меня колбаса дома есть.

— Нет, лучше не надо, — сомневалась собака. —
Понимаешь, я приду, поем, расслаблюсь, потом
тяжко будет на улицу уходить из тепла.

— А ты оставайся у меня, — предложила Пупель.

— Думай, что говоришь, ты посмотри на меня: я
грязная, старая, вид у меня не домашний.

— Мы тебя вымоем.

— У меня характер плохой, лаю, не могу себя
сдерживать, всю жизнь в скитаниях.

— У меня тоже характер так себе, — не унималась
Пупель. — Пойдем, прошу тебя.

— Никогда никто меня не просил, — собака
улыбнулась. — А гулять со мной не надо, это я сама
умею.

— Вот и хорошо. Сначала вымоемся, а потом
ужинать, как тебе такой план? — спрашивала
Пупель.

— Очень даже, — виляла хвостом собака.

— Да, кстати, как тебя зовут? — смущенно спросила Пупель. — Мы давно знакомы, а я как-то не
поинтересовалась.

— Да в общем-то никак, все по-разному называли, кто во что горазд, а конкретного имени у меня
никогда не было.

— А тебе какое имя нравится?

Собака задумалась.

— Даже и не знаю, мне хотелось бы особенное звучное имя, но ты знаешь, все особенные громкие имена уже заняты.

— А если — Меркурий? Как тебе?

Собака кивнула.

— Подходит.

— Понимаешь, — начала объяснять Пупель, — я много читала, это очень интересно. Меркурий — это и планета, и бог, и проводник, и помощник.

— Я, конечно, не планета и не бог, а проводником и помощником с удовольствием.

Из-за льющейся воды Пупель и Меркурий не слышали звонка в дверь. Пупель, вся забрызганная, с мыльными руками, выскочила открывать. На пороге стояла Магда с выпученными глазами.

— Что случилось? — спросила удивленная Пупель.

— У тебя все в порядке? — Магда очень внимательно ее разглядывала.

— Да. Решила усыновить Меркурия, он меня практически спас, — щебетала Пупель. — А что ты так смотришь?

— Какого Меркурия?

— Пес, пес, сейчас вымылись, такой стал симпатичный, лоснится, заходи.

Магда с настороженностью вошла в квартиру.

— Ты взяла собаку?

Меркурий смешно отряхивался в ванной.

— Да, так получилось, но на самом деле я давно хотела, просто не знала, что хотела.

— Как ты себя чувствуешь?

— Сейчас отлично, а что?

— Мне звонила Надька.

— Интересно, что она хотела, я ее сто лет не видела.

— Она сказала, что тебе плохо.

— Надька???

Магда уселась на кухне и закурила.

— Понимаешь... — начала Пупель, — это очень особенная собака, и сегодня она меня спасла от неминуемого приступа.

Магда насторожилась.

— А что, собственно говоря, произошло?

— Мужик валялся во дворе, и я подумала...

— Какой мужик?

— Да хрен его знает, умирающий, а Меркурий его укусил, и тот убежал.

Магда начала прокручивать и выстраивать свои мысли: звонок Надьки, значит, она знала, иначе зачем бы ей звонить?

— А больше ты никого не видела? — начала аккуратно выспрашивать Магда.

— Я была на Тверском, и там мне показалось...

— Что?

— Там был Марк.

«Эта скотина никак не может уняться, — поняла Магда. — Это они специально все подстроили». Пупель она ничего не стала говорить.

— Я, собственно, пришла с хорошими новостями, — начала она.

— Рассказывай скорее! — Пупель нарезала колбасу для собаки.

— Твой роман будет напечатан.

— Откуда ты знаешь?

— Я познакомилась с удивительным человеком.

— Это тот, который тебе давал советы?

— Нет, другой.

— Вот видишь, оказывается, сколько удивительных людей — целых два, прости, я перебиваю, и что же?

— Он прочитал твою рукопись и сказал, что будем печатать, мало того, он предложил мне работу.

— Он риэлтор?

— Нет, меценат.

— Ты будешь работать у мецената?

— Да, в издательстве.

— Но ведь это сказка, ты, правда, не шутишь?

— Я уже сегодня вышла на работу.

— И как?

— Все хорошо, готовься к презентации своей книги.

— Будет презентация?

— Все будет.

— И дальше долго и счастливо и так до конца дней своих? А как ты познакомилась с меценатом?

— Долго таскалась по всяким издательствам и потом вышла на него.

— Ты специально ничего не рассказывала?

Магда утвердительно кивнула. Они сидели у Пупель на кухне, пили чай, курили, строили планы.

— Мне даже не верится, что все так получилось, — охала Пупель. — Скажи, тебе не кажется все это странным?

— Нет, — Магда засобиралась домой. — Теперь мне надо рано вставать, а тебе необходимо выспаться, пора начинать новый роман, завтра созвонимся.

«Как всегда, говорит правильно и по делу», — раздался голос Устюга.

— Послушай, Магда, — Пупель захотелось на радостях все ей вывалить.

«Потом поговорите, человеку завтра на работу, совесть поимей», — остановил ее Устюг.

— Что? — Магда уже стояла в дверях.

— Завтра расскажу тебе кое-что очень интересное.

«Правильно, завтра все расскажешь, тем более времени у нас с тобой осталось совсем немного».

Пупель с Магдой поцеловались. Магда ушла.

— Почему ты так сказал? — В голосе Пупель были слезы.

«Мне пора», — заговорил Устюг.

— Ты меня бросаешь в тот момент, когда все так хорошо сложилось, — начала Пупель. — Тебе больше нечего здесь делать? — Внезапная догадка озарила ее. — Это все ты, Устюг? Это ты мне помог? Почему мне?

«Ты очень хорошо рассказала собаке про Меркурий. Я просто проводник».

— Теперь, когда тебя не будет, я уже не смогу разговаривать с собакой и слышать мысли людей.

«Почему? У тебя это всегда было, тут я ни при чем».

— Ты улетишь в пещеру под Пермолоном?

«Возможно».

Пупель заплакала.

— Я хотела, чтобы ты всегда был со мной, я так к тебе привязалась, я ведь замуж за тебя собиралась.

«Очень лестно, я тоже тебя люблю Пупель, замуж ты выйдешь за другого».

Пупель передернуло.

— Ты знаешь, что это невозможно, замуж выходят по любви, я это тоже хорошо теперь понимаю, если предают любовь, случаются непоправимые вещи. Ты и Магде помог? Я так за нее рада.

«С Магдой у нас почти родственные связи».

— Как это?

«Нас связывает Прокопий».

— Ты знал Прокопия?

«Да».

— Но ведь это было так давно?

«Для кого-то давно, а для кого-то недавно, все очень относительно».

— А маленький мальчик, видевшей ядерный снег на Пермолоне, — это ты?

«Если тебе хочется так думать, я не возражаю».

— К сожалению, времена юродивых давно прошли, теперь их просто нет.

«Есть другие люди, которые имеют чистые открытые сердца, я их Проводник, это моя работа».

— Но, кроме глупых поступков, я ничего еще не сделала.

«У тебя все еще впереди».

— Магда говорит, что я не гожусь в юродивые.

«Люди, искренно и фанатично занимающиеся творчеством, ищущие правду, в каком- то смысле являются юродивыми».

— И мы больше никогда не... — Пупель замялась, — ... никогда не услышимся?

«Нет».

Пупель зарыдала в голос.

«Брось слезы лить, — сердито проговорил Устюг. — Ты должна радоваться, я прихожу только когда плохо, я же Проводник. Я не приду, так как тебе уже не будет плохо».

— А ты будешь меня вспоминать?

«Конечно».

— Там у себя в пещере?

«Ты, как писатель, должна понимать, что в любом рассказе присутствует вымысел, но если ты так придумала для себя, пожалуйста».

— А разве не ты рассказывал мне историю Пермолона? Пещера, Бекар?

«Я ничего не рассказывал, я же не писатель, я умею только слушать».

— А кто мне говорил: «Я — великий и могучий Устюг?»

«Иногда надо воздействовать такими методами».

— Может, ты и не Устюг?

«Для тебя я навсегда останусь Устюгом, специально для тебя, понимаешь?»

— И у меня все получится?

«Несомненно, только надо верить, помни, надо верить, и всё».

— А как же ты?

Пупель шла по дороге. Вечернее солнце ярко освещало верхушки леса особенным таинственным светом. На опушке леса стояла аккуратная избушка с надписью «Кафешантан». Перед избушкой столики с яркими зонтиками.

Пупель уселась за столик, солнце зашло, и началась тихая теплая ночь со звездами. Официант в серебристом трико учтиво склонился к ней.

— Чего желаете, куколка?

— Сегодня праздник, плакать нельзя?

— Ни в коем случае, — подтвердил официант.

— Тогда мороженого.

— Со звездами?

— Конечно, и шоколаду.

— Будет сделано, на фейерверк останетесь?

— Он будет здесь?

— Нет, как всегда, у пруда.

Веселая публика толпилась около воды. «К нам! Сюда, сюда! — кричали люди. — Пупель! К нам, к нам!» Фейерверк вспорол небо. Посыпались яркие цветные звездочки, они лизали ее в щеку и пели: «Хочу гулять...»

Пупель открыла глаза. Меркурий просился на улицу, было раннее светлое утро.

История Пупель

Хороших, радостных событий всегда долго ждешь и предвкушаешь. Сколько раз Пупель и Магда обсуждали предстоящую презентацию. Уже прошла зима, наступила сначала ранняя, а потом и самая настоящая весна с зелеными листочками и свежей травой.

— А что ты наденешь? — Этот вопрос Магды застал Пупель врасплох.

— Не знаю, а ты как думаешь?

— Я купила тебе шляпу.

— Шляпы у меня никогда не было.

— Теперь будет.

— Мне как-то во сне снилось, что я в шляпе, — вспомнила Пупель.

— Я купила кремовую.

— Да-да, шляпа была кремовая, туфли на шпильках и юбка с разрезом.

— Ну, вот, значит, дело за малым, надо купить туфли, юбку и блузку, а шляпа уже есть.

— Вообще-то, это не так важно, — в голосе Пупель звучало сомнение.

— Все важно, — Магда была неумолима.

В особняке Красповица толпилось много народу. С ощущением нарастающего трепета Пупель вошла в зал на втором этаже. Все сливалось в ее глазах в какую-то большую говорящую пеструю массу. На сто-

лах лежали только отпечатанные книги. «Это мои», — с удивлением думала Пупель. Магда без конца сновала туда-сюда, практически не обращая на нее никакого внимания.

— Он приехал, сейчас я вас познакомлю, — шепнула она на бегу, — никуда не отходи.

Пупель стояла у стенки и смотрела на приближающихся Магду и...

— А вот и наш автор, — Магда отодвинулась в сторону, пропуская Сима вперед.

— Максик... — едва выговорила Пупель и залилась слезами.

— Вы знакомы? — Магда была в полном недоумении. — Почему Максик?

— С годами, — Красповиц покраснел и смутился, — от Максима отвалилась половина — «Мак», а сейчас... — Он сделал паузу и сглотнул: — ...она нашлась.

Хорошо весной на реке! Так ярко играют солнечные блики, трава зеленая, свежая, вся утыканная желтыми одуванчиками. Пестро и празднично, воздух густой, плотный, чистая лазурь, не разбавленная белилами. По реке плывет кораблик с разноцветными флажками. Волны от кораблика накатывают на берег. Красивые волны, изумрудные, валкие, мягкие. Вот и звездочки зажглись, переливаются в голубом небе, кружатся, кружатся, превращаются в красные маки, плавно падают на траву, прорастая цветным горошком и крошечными попугайчиками, пилюк-тилюк, уи-и-и-и-и-и-и-и...